格雷厄姆·雷诺兹（Graham Reynolds，1914  2013 年）曾是伦敦维多利亚与艾尔伯特博物馆（Victoria & Albert Museum）印刷和绘画部的管理员，他自 1937 年起就在该博物馆工作。作者的其他著作包括《英国微型画像》（English Portrait Miniatures）和《水彩画简史》（A Concise History of Watercolours），以及关于托马斯·比尤伊克（Thomas Bewick）和维多利亚时期叙事画家的论著及约翰·康斯太布尔（John Constable）作品的分类目录。

D1556758

World of Art

# Turner

**图1** 上图，《大运河场景，威尼斯的一条街》（*The Grand Canal: Scene – A Street in Venice*），约1837年

泰晤士哈德逊 | 世界艺术巡礼

# 透纳

［英］格雷厄姆·雷诺兹 著　赵怡翾 译

华中科技大学出版社
http://www.hustp.com

有书至美
BOOK & BEAUTY

中国·武汉

**图书在版编目（CIP）数据**

透纳／（英）格雷厄姆·雷诺兹著；赵怡翾译.—武汉：华中科技大学出版社，2022.3

（泰晤士哈德逊世界艺术巡礼）

ISBN 978-7-5680-7924-2

Ⅰ.①透… Ⅱ.①格… ②赵… Ⅲ.①透纳（Turner, Joseph Mallord William 1775-1851）－生平事迹 Ⅳ.①K835.615.72

中国版本图书馆CIP数据核字（2022）第043858号

Published by arrangement with Thames & Hudson Ltd, London,

Turner @ 1969 and 2020 Thames & Hudson Ltd, London

Text @ 1969 and 2020 Graham Reynolds

Cover Credit: J.M.W.Turner, *Norham Castle, Sunrise*, c.1845. Tate London. Photo Tate.

Introduction and new Further Reading by David Blayney Brown

Art direction and series design: Kummer & Herrman

Layout: Adam Hay

This edition first published in China in 2022 by Huazhong University of Science and Technology Press, Wuhan City

Chinese edition © 2022 Huazhong University of Science and Technology Press

All Rights Reserved.

湖北省版权局著作权合同登记　图字：17-2021-240号

# 透纳

Touna

[英] 格雷厄姆·雷诺兹 著

赵怡翾 译

出版发行：华中科技大学出版社（中国·武汉）　　电话：(027) 81321913

华中科技大学出版社有限责任公司艺术分公司　(010) 67326910-6023

出 版 人：阮海洪

责任编辑：莽　昱　陶　红

责任监印：赵　月　郑红红　　　　　　封面设计：邱　宏

制　　作：北京博逸文化传播有限公司

印　　刷：艺堂印刷（天津）有限公司

开　　本：889mm×1194mm　　1/32

印　　张：6.75

字　　数：99千字

版　　次：2022年3月第1版第1次印刷

定　　价：128.00元

# 目录

# 前言

　　2013年，格雷厄姆·雷诺兹（Graham Reynolds）在百岁生日到来之际溘然长逝。他职业生涯的大部分时光都是在维多利亚艾尔伯特博物馆度过的，退休之后仍然很活跃。他是鉴赏家，也是管理者，欣赏并管理着如今几乎已经绝迹的东西；他也是一个魅力四射、富有创新精神的人物，兴趣广泛、作品众多。他的著作包括评传和艺术家研究，从早期的微型画像艺术家托马斯·比尤伊克（Thomas Bewick）到维多利亚时期的叙事画家（早在他们重新受到世人青睐之前），还包括约翰·康斯太布尔（John Constable）作品的分类目录。在迈克尔·霍罗维茨（Michael Horovitz）的杂志《新起点》（*New Departures*）中，作为一位现代诗人，雷诺兹的名字与塞缪尔·贝克特（Samuel Beckett）、威廉·巴勒斯（William Burroughs）和"垮掉的一代"一同出现。

　　雷诺兹不受自身学识和专业知识所限，为更广大的读者群体写作，而没有退居于"狭隘"的专业领域。他传播知识的热情和天赋使他成为"泰晤士哈德逊世界艺术巡礼"（World of Art）系列丛书的理想撰稿人。1969年，本书首次出版。回首往事，1969年对约瑟夫·马洛德·威廉·透纳（Joseph Mallord William Turner）相关的出版物而言是里程碑式的一年，若要说本书对此的贡献不如约翰·盖奇（John Gage）在同年出版的《透纳的色彩：诗与真理》（*Colour in Turner: Poetry and Truth*），便显得有些不够公平。《透纳的色彩：诗与真理》包含复杂而严谨的论断，拥有大量崭新且鲜为人知的资料，展现出透纳作为一名艺术家深深植根于他那个时代的文化和思想生活中。两本篇幅如此不同、受众也不尽相同的书无法进行比较，但有一点可以肯定，

图2 右图,《梅尔罗斯修道院》(Melrose Abbey),1822年

那就是人们都能欣赏这两本书,并从中学到知识,对未来的读者而言也是如此。

在写作的过程中,雷诺兹无法像盖奇那样,对透纳的作品进行全面而深入的讨论,但他仍然展现了自身研究方法的广度:他借鉴了康斯太布尔对透纳广阔思想的观察,将其作为某一章节的标题。18年后,盖奇在为艺术家撰写大型著作时也采用了这样的方法。雷诺兹本可以致敬劳伦斯·高英(Lawrence Gowing)的抽象趋势分析法,在1966年纽约现代博物馆举办的"透纳:想象与现实"(Turner: Imagination and Reality)展览中,高英就主要针对透纳后期未完成的素描运用了这一方法,展出了这些作品。雷诺兹没有像其他作者那样,被高英原始现代画派的解释所迷惑，他的书避开了所有居高临下的观点，根据当前知识对艺术家的生活和作品进行了介绍，内容生动且有趣。本科一年级时，我还不能阅读盖奇和高英的作品，本书显然更吸引我（如果没有记错的话，这是我买的第一本关于透纳的作品）。今天人们能查找到大量的文献，但此前可获得的资料少之又少，这就是为什么人们"热切地期待"本书问世。在一份简短的参考书目中，雷诺兹表达了自己的创作意图：他注意到，A. J. 芬伯格（A. J. Finberg，一位专注于英国艺术史的艺术史学家）当时的标准传记（1939年初版，1961年修订后再版）"写得相当缺乏想象力"，而且缺乏"历史视角"。他显然更欣赏杰克·林赛（Jack Lindsay）1966年出版的政治、心理学"评论传记"，但任何认识他的人都会发现，在他评论中的许多"独创性理论"的背后，存在着有趣的怀疑主义精神。他大力推荐迈克尔·基特森（Michael Kitson）1964年发表的专著，认为那是除自己的作品之外最可靠的研究。

雷诺兹没有料到，在本书出版之后的数年里，关于透纳的作品井喷一样涌现出来。1974—1975年，皇家美术学院的两百年大展上前所未有地展出了大量透纳的作品，受此影响，美术史学家马丁·布特林（Martin Butlin）和伊夫琳·乔尔（Evelyn Joll）于1977年出版了透纳作品的分类目录（1984年修订）。盖奇于1981年编辑出版了透纳的书信集，并于1987年在泰特美术馆开设了克罗尔画廊，展出透纳遗赠的作品。透纳相关的研究、展览和传记数量激增，得到这样待遇的艺术家屈指可数，英国艺术家更是寥寥无几。卢克·赫尔曼（Luke Herrmann）和迈克尔·基特森于2001年出版了《牛津透纳手册》（the Oxford Companion to J. M. W. Turner），调研了此前所有透纳相关的出版物（其中基特森的研究更具批判性），总结了一大批专家撰稿人写就的、研究透纳的前沿成果。海量的现代学术研究和阐释对于专家而言都可能应接不暇，人们前所未有地需要本书这样几乎没有冗余的作品。雷诺兹作品的原创精神正在于此：内容精挑细选、篇幅短小精悍。赫尔曼对本书"简洁易读、内容均衡、图文并茂"的评价依然站得住脚。

雷诺兹写作的"泰晤士哈德逊世界艺术巡礼"系列中的《透纳》（Turner），开创了全新的艺术史。而此前的艺术史尽管还未消亡，却也日趋衰微。该书问世后，将艺术史学家，特别是那些研究风景画的人，分成了"之前"和"之后"两个阵营。与1987年迈克尔·罗森塔尔

（Michael Rosenthal）为"泰晤士哈德逊世界艺术巡礼"丛书撰写的《康斯太布尔》（*Costable*）相比，本书似乎缺少社会、经济或政治的背景和分析。然而，雷诺兹讨论了透纳生命中的女性，也描绘了透纳对贫苦人民及其生活的同情，这是领先于时代的。写作本书时，正处于自由开放的20世纪60年代，雷诺兹觉得芬伯格极力解释透纳的情妇莎拉·丹比（Sarah Danby）实为透纳的"管家"，十分滑稽；面对透纳写生簿中展现其正常性本能的证据，约翰·罗斯金（John Ruskin）畏缩不前也同样令雷诺兹感到好笑。与此同时，雷诺兹还明白，对于透纳那样一个神神秘秘的工作狂而言，私人生活和职业生活之间的界限至关重要。但他写作时尚不知晓，吸引了透纳的年轻演员兼歌手并不是莎拉，而是另一位比透纳年长几岁的同名寡妇。人们不应要求作者对后续研究中暴露的事实错误或异常现象负责。当时，盖奇认为，在1799年的海战演习中，透纳展出了一幅尼罗河战役（英法两国之间于尼罗河河口爆发的一场决定性海战）的全景图，同年，他还绘制了一幅送往皇家美术学院的作品（已遗失）。雷诺兹认为他的判断"存在可能性"，但这其实是一处错误。直到1989年，展出海战演习的"透纳先生"才被揭穿，其实是一位在伦敦肖迪奇区工作的马车制造工人兼临时画家。

就算是作者本人的手稿，也难逃修订，本书也是如此。雷诺兹为本书的各个板块挑选了许多优秀的作品，其中包括一个大型的、未图133完成的"海港场景"——现在被认为是法国海港城市布雷斯特的风光。还有一个音乐派对的场景的位置从佩特沃斯（英国城市）重新定位到了东考斯城堡（位于佩特沃斯西南方向），而另一个室内场景此前被认为是埃格雷蒙特伯爵（The Earl of Egremont）的社交圈，后确认为透纳的建筑师朋友约翰·纳西（John Nash）的交际场景。"从马背上掉下的骷髅"此前与《圣经·启示录》（*Revelation*）中"死在灰马背上"的故事联系在一起，但目前更令人信服的一种说法是它与雪莱（Shelley）的诗歌《暴政的假面游行》（*The Masque of Anarchy*）有关，进而同彼得卢的激进示威运动（1819年于英国彼得卢爆发的群众示威运动）联系在一起。透纳的《寻找阿普勒斯的阿普利亚》（*Apullia in*图71*Search of Appullus*）被认为是对克洛德·洛兰（Claude Lorrain）于佩特沃斯创作的《雅各布、拉班和他的女儿们》（*Jacob, Laban and his*图72*Daughters*）的模仿之作，而不是相同主题的原创作品。雷诺兹曾为透

9

图24 纳1796年首次在皇家美术学院展出的《海上渔夫》（Fishermen at Sea）起了一个绰号，叫"乔姆利海景图"，但这个名称没能流行起来，因为尽管这幅画后来流传到了费尔法克斯-乔姆利家族手中，但其第一位主人是一位姓斯图尔特的将军。大部分曾被认为是描绘1834年议会大火场景的水彩画，其实展现的是1841年伦敦塔起火的场景。针对诸如上述的问题，新版图书不着痕迹地做了最低限度的更正和澄清，未在正文中进行注释，以保持文本的流畅。需要更正的地方很少，这表明本书很好地经受住了时间的考验。

本书既是作者雷诺兹本人的创作，也是时代的产物，"纠正"其中今日看来可能受到质疑的思想和批判性的判断是不对的。雷诺兹或许低估了荷兰画派和佛拉芒艺术对青年透纳产生的影响：透纳曾借用自己对伦勃朗（Rembrandt）作品的评价"无与伦比的色彩之纱"来描述意大利的光。此外，雷诺兹对托马斯·门罗医生（Dr. Monro）颇有微词。透纳曾参加过他的晚间"学院"，在那里绘画、临摹；门罗拥有许多年轻学生作品的复制品，人们不应严肃地指责他试图获得他买不起的作品的廉价版本。透纳为特色系列风景画"研究之书"（Liber Studiorum）投入了大笔资金，但却受到了雷诺兹的轻视。雷诺兹认为这个系列的作品缺少透纳特有的"空气面纱"，表现出"单调的一致性"，这一评价不太公平，因为其中也包含多种多样的主题以及对天气和光线的复杂处理，只是由于透纳通过色调而非色彩来处理天气和光线，结果没有那么精妙，也不够富有变化。针对1817年透纳创作的描绘莱茵河的水彩画，雷诺兹认为其十分抽象，画家没有亲临绘画中的场景，但如今考虑到透纳将莱茵河作为拿破仑战争后第一次大陆旅行的去处，加上艺术史学家塞西莉亚·鲍威尔（Cecilia Powell）在20世纪90年代的几次展览中也对这组水彩画及相关速写进行了敏锐且细致的讨论，雷诺兹的观点恐怕会令人讶异。同样令人惊讶的是，雷诺兹竟不加质疑地接受了透纳的说法，即他亲眼看见了缠上船桅的风暴，但这只是为捍卫画面现实创造出的个人神话，有趣地反映出了透纳的心理活动和艺术意图。要重写上述段落会破坏本书的完整性和真实性，把它们留在原处、只在这里讨论，似乎才是最好的办法。

为更好地服务于今日的读者，我们在书中添加了一些内容。前文已经提到，我们修订了参考书目。原版中只有姓氏的人物添上了名字，国家馆藏中对透纳遗赠、遗产的评价也有所更新。书中还有一些删减的内容，主要是与更早以前的学者或批评家相关的内容，他们的作品早已被超越；还有一个人物，理查德·波森（Richard Porson），他的相关内容也被删去了。第一章提到透纳童年时居住在位于梅登巷的家中，波森只是透纳家楼下一家酒吧的常客，可以证明透纳身居某个乡村时已展现了某种天赋。波森不过一介草夫，只在彻夜痛饮的酒客中间稍显机敏，他作证说透纳曾在东拉斯顿的诺福克村生活过，并且出现在苹果酒窖中；而最近透纳的传记作者埃里克·沙恩斯（Eric Shanes）则描绘了当时他参加殖民地俱乐部的场景，描绘了科芬园最脏乱的酒吧，以及打斗、嫖娼和意外杀人的种种场面——我们现在应当认同这位剑桥大学的希腊语教授、埃斯库罗斯和欧里庇得斯的编辑呢，还是认同一个酒鬼呢？尽管这一切都很有趣，但透纳这样的天才可以在所有不可能的地方茁壮成长这一点也无须波森来证明。本书篇幅不长，几乎不留余地描写了对透纳的生活和工作产生重大影响的同事、资助人、朋友和评论家，要勾勒一个与透纳没有任何私人联系、已于1808年过世的人物，实在非常奇怪。

康斯太布尔是一个例外，他的自然主义、户外写生和对诸多地点的依恋感，都为本书提供了比较点。本书比雷诺兹的《自然画家：康斯太布尔》（Constable: The Natural Painter）晚4年面世，后者充分利用了这位艺术家的信件和作品中大量的原创评论及证据。在康斯太布尔和透纳这两个画家之间，人们会觉得雷诺兹对康斯太布尔更有感情，更能产生个人联系，这也致使雷诺兹退休后搬到了萨福克郡（康斯太布尔的故乡）；而对透纳则是钦佩，透纳的"思维广度"、近乎无所不包的绘画主题以及从不为自己解释的个性，都给雷诺兹带来了更大的挑战。显然，创作《自然画家：康斯太布尔》的过程丰富了雷诺兹对透纳的理解，为本书的出版铺平了道路。本书的索引中，有28次提到了康斯太布尔，而《自然画家：康斯太布尔》中只有4次提到透纳。毫无疑问，雷诺兹一直在为本书做准备。在两本书中，他都提到两位艺术家的粉丝几乎不怎么研究另一方，而他自己却是一个出色的、有说服力的例外。

戴维·布莱内·布朗（David Blayney Brown）
泰特不列颠美术馆，1790—1850年英国艺术展厅管理员

**图3** 上图，《瀑布》（*A Waterfall*），1795—1796年

# 第一章
# 生命之晨的风景

　　1788年，乔舒亚·雷诺兹爵士（Sir Joshua Reynolds）曾感慨道："要是能有足够多的天才诞生在这个国家，让英国的艺术能够赢得赞誉、自成一派就好了……"此言是在向托马斯·盖恩斯伯勒（Thomas Gainsborough）致敬，并预言在他的设想中，这位伟大的对手将成为国家画派的创立者。他的预言最终成真，而他本人也和盖恩斯伯勒一样，站在了一长串英国艺术家队列的最前端，这番佳话早已家喻户晓。但要作出这样的预言仍然需要勇气，尽管他已经尽其所能去支持皇家美术学院、推动预言的实现，其实现方法也超出了他本人的控制。要是雷诺兹后继无人，天才无迹可寻，就无法保持全民对绘画和雕塑的兴趣、促进其发展了。

　　因此，现在回想起来，乔舒亚·雷诺兹的想法虽然显得有些古怪，但他将盖恩斯伯勒列入国家艺术家之神殿的假设是完全合理的。很快，他的判断就受到了考验，因为在临近18世纪末时，那一代的艺术家已经历经了20年的风霜洗礼。皇家美术学院也创立了20年之久，创立者们不日就会被年轻人取代，他们或许会想巩固前人的成功，也可能会将前人的努力付之一炬。皇家美术学院之所以能看到成立的希望，是因为受到了舆论风气的支持，也是出版商努力的结果，比如约翰·鲍德尔（John Boydell）和托马斯·马克林（Thomas Macklin）这样的出版商，他们想委托艺术家创作绘画、为文学作品配图。正如雷诺兹所言，本书的主角透纳年仅13岁时，就已经在创造十分惊人又早熟的作品了。到了次年年底，透纳成了皇家美术学院的学生，就此开始了自己作为艺术家的职业生涯，再也没有离开过这条道路。透纳长达60余年的职业生涯一直持续到19世纪中叶，他的职业生涯正是"英国艺术能够赢得赞誉、自成一派"的主要原因。

由于透纳早期致力于风景画的创作，回忆透纳职业生涯早期时这一艺术分支是何种状态就变得十分重要。透纳承袭了风景画写实的传统，这不仅是继承自欧洲大陆的流派，也是继承自英国的艺术先驱。这些活跃的先驱者对于透纳而言有特殊的意义，因为任何与他才华相当、甚至天赋不如他的艺术家的存在，尽管算不上是对他的侮辱，但也挑战着他竞争的天性。他模仿那些人的绘画技法，是为了能够超越他们。在他的成长环境中，风景画家之间存在公认的层级关系，他们透过双眼看待自然的方式是系统化的，这让天性善于接纳的透纳能够全盘吸收其中的一切。

在18世纪末绘画或收藏的风景画中，有两种主要流派：一种由意大利画派主导，另一种则向低地国家（对欧洲西北沿海地区的称呼，包括荷兰、比利时、卢森堡等）看齐。克洛德·洛兰和尼古拉·普桑（Nicolas Poussin）的风景画以一种抒情的方式诠释了意大利的种种风貌，并将其投射到古典主义的画作之中，一直左右着英国人的审美。对那些生于英国、在古典主义影响下成长的贵族收藏家而言，设定在罗马时代历史和传说背景下的田园风光有着不可抗拒的吸引力。而荷兰的风景画显然更加朴实，描绘了农家生活和城镇的现实景象，与收藏家们自己的日常观察足够接近。他们依照克洛德的原则建造庭园，但也会到艾萨克·凡·奥斯塔德（Izaak van Ostade）和杨·范德海登（Jan van der Heyden）熟悉的城镇上去参加集会。

那时从意大利寻求灵感的画家中，最瞩目的是理查德·威尔逊（Richard Wilson）和约翰·罗伯特·科曾斯（John Robert Cozens），托马斯·盖恩斯伯勒的后期作品也曾从意大利获得灵感。从透纳自身发展的角度来看，这些画家的重要性不仅在于他们的主题，还在于他们都受到了风景中光线品质的吸引，也擅长渲染画面中的光影。在绘画光线效果时，他们都信守洛兰的绘画规则。约翰·康斯太布尔曾说："盖恩斯伯勒的风景画能抚慰人心，温柔且动人……每当看到他的作品，我们都会莫名地热泪盈眶。"另一方面，荷兰画派着迷于日常生活中司空见惯的场景，在整个18世纪追随者甚众。盖恩斯伯勒的早期风格就受到了荷兰画派的影响，除他之外，还有大批以地形绘制维生的水彩画画家，包括保罗·桑德比（Paul Sandby）、托马斯·马尔顿（Thomas Malton）、迈克尔·安杰洛·鲁克（Michael Angelo Rooker），以及塞缪尔·耶罗尼米斯·格里姆（Samuel Hieronymus Grimm）。透纳开始职业生涯时，他们都还在世。正是这群人的作品第一次引起了透纳的注意，为他后来的成长打下了基础。

1775年4月23日，透纳出生于伦敦。家人都叫他"威廉"，但现在人们通常用他名字的首字母称呼他，即J. M. W. 透纳。对于他卑微的出身，世人有诸多议论。的确，他的父亲同约翰·赛尔·科特曼（John Sell Cotman，英国风景画家）的父亲一样，是一名理发师，但透纳出生在一个赞助传统仍然存在的时代。社区中更有特权的成员乐意结识人才，愿意且有能力支持他们。

透纳从父母那里学到了，或者说继承了商人对金钱的敬重，这对他的事业发展而言是最大的帮助，也是他达成艺术独立的主要支柱。透纳的家庭生活并不幸福，母亲时常躁狂发作、乱发脾气，最后恶化为精神错乱。1800年，母亲被送进贝特莱姆医院，1804年于一所私人收容所中辞世。透纳十分敬爱他的父亲，在他的私人生活中，对父亲的关怀最令人动容。他的父亲不仅没有阻碍儿子实现抱负，反而在儿子展露出天赋之后积极地鼓励他走上艺术的道路，还将他的画陈列在理发店的橱窗里出售。那时候，一张画卖一到三先令，似乎有许多顾客愿意购买。

透纳出生后不久，他的父亲搬到了梅登巷的另一边，透纳在这里工作到24岁。约瑟夫·法灵顿（Joseph Farington）这样描述他们的房子："公寓当然很小，实在不适合画家。"不过，虽然房子面积不大，但也算得上宽敞，两面临街，坐落在汉德巷和梅登巷的拐角上。如今，透纳的老宅已经不在了，但街道仍然存在，是一条与斯特兰德大街（英国伦敦中西部的一条街道，以其旅馆和剧院著称）并行的街道。梅登巷十分狭窄，汉德巷则更甚，二者形成夹角，或许会遮蔽房间的光线，但又在某种程度上为透纳带来了一些好处，帮助他塑造了自己的职业风格。房子距离泰晤士河步行不到3分钟，而泰晤士河那时仍是伦敦的交通干线。透纳最短的步行路线是到萨沃伊河（泰晤士河的一道河段）的河岸和台阶上，在那里，河流庄严地向右流淌。卡纳莱托（Canaletto）和塞缪尔·斯科特（Samuel Scott）都曾为萨沃伊河作画，自那以后，萨沃伊河就一直是伦敦的经典象征。另一个方向通往科芬园市场，比泰晤士河更近。约翰·罗斯金曾大胆对乔尔乔内（Giorgione）和透纳的童年进行了比较，认为科芬园这个缤纷多彩的大型花果市场一定给了年轻的透纳许多启发。他引用了透纳对圣哥达的最后一句评价作为例证："我努力想要展现那里成堆的石头。"圣哥达对透纳都有如此影响力，想必科芬园更是如此。他对杂乱事物的喜爱很可能与今天所说的"如画理论"〔theory of the picturesque，英国作家、画家威廉·吉尔平（William Gilpin）提出的一种审美理念〕有关——J. T. 史密斯（J. T. Smith）的"邋遢的锅碗瓢盆"散落在一间小屋的门前。无可置疑的是，童年时周遭的环境，尤其是河边的风景，或多或少影响了透纳的一生。伦敦那时仍是个"大烟囱"，他童年熟识的、透过烟雾看到的满载货物的船只，是他在艺术中不断探索蒸汽效果的关键原因之一。再往上游走走，就可以看到1834年被大火烧毁的旧议会大厦。这场大火给透纳留下了深刻印象，在很大程度上解释了他为什么一生都对河边的议会大厦记忆犹新。

科芬园和泰晤士河之间的几条街道组成了一个小村庄，至今仍保留在伦敦中心。诚然，这些街道蕴含着大量与艺术有关的传统，隐藏着众多鲜活的艺术的化身，能够激发像透纳那样天赋异禀的孩子的想象力。许多为18世纪培养了大量艺术家的美术学院都建在距离透纳出生地不远的地方，比如由威廉·贺加斯（William Hogarth）重建的圣马丁巷学院，以及威廉·希普利（William Shipley）创立的绘画学校（也是艺术家协会的一部分），让人难以分辨这到底是不是巧合。在透纳的父亲搬进透纳出生的住宅之前，艺术家协会在那里创设了一个绘画学院，管理了三四年，乔治·罗姆尼（George W. Romney）、奥扎厄斯·汉弗莱（Ozias Humphry）和弗朗西斯·惠特利（Francis Wheatley）都在学生之列。17世纪，大批艺术家进驻这一带的街道，他们之中有彼得·莱利（Peter Lely）、托马斯·霍斯金斯（Thomas Hoskins）、塞缪尔·库珀（Samuel Cooper）、戈弗雷·内勒（Godfrey Kneller）、普洛斯珀·亨利·兰克林克（Prosper Henry Lankrink）以及约翰·克拉斯特曼（John Closterman），理查德·威尔逊常光顾的宪政酒店也在附近。透纳的第一位赞助人、建筑家托马斯·哈德威克（Thomas Hardwick）重建了1795年被大火烧毁的科芬园圣保罗教堂。1788年前后，透纳曾经的对手、与透纳同时代的托马斯·吉尔丁（Thomas Girtin）师从约翰·拉斐尔·史密斯（John Raphael Smith），在科芬园国王街学习，据传他与透纳的第一次会面就发生在那里。

理发店素来有提供报纸、在墙上悬挂版画的传统。18世纪时，理发店的地位有些类似于酒馆、咖啡馆和俱乐部，是个休闲娱乐的去处，把透纳年轻时的画作悬挂起来、让顾客在闲暇时欣赏，这一想法同理发店的功能十分吻合。街道间五花八门的商铺仍负早年盛名，那时候，科芬园是伦敦最时髦的购物场所。这一切视觉效果、历史遗迹对透纳而言都很有价值。他能够接纳这一切，将其变为了有利于自己的艺术资产。

但科芬园也有不好的地方：缺少自然美景，这对风景画家而言尤其如此。尽管罗斯金曾赞美透纳对植物的精细描绘，但透纳的成长环境中并没有太多自然事物，他也没有真正观察过它们。如果他愿意，他可以发挥自己非凡的视觉力量，集中观察树木植被，但他往往只满足于用克洛德提出的树叶画法装饰他的画面。在他大量的素描作品中，对野草或花朵等个体对象的研究非常少。他不像斯太布尔，后者看到一棵漂亮的树就热情高涨。孩提时代，给透纳印象最深的自然现象就是典型的城市现象：光线穿过烟、尘和雾气，他一生都在描绘这样的场景。1807年透纳展出了一幅题为《薄雾中的日出：贩卖鱼货的渔夫》（*Sun Rising Through Vapour: Fishermen Cleaning and Selling Fish*）的画作，这个题目可以涵盖他一半的作品。

图53

透纳接触乡村的时间确实比较早。10岁时，他和他的舅舅J. M. W. 马歇尔（J. M. W. Marshall）在布伦特福德生活了一段时间，这位马歇尔舅舅是市场上的屠户。在那里，透纳进入了一所免费学校，为他对文学的终生爱好打下了基础。他不善表达，但热衷于阅读，尤其喜欢18世纪80年代和90年代浪漫主义思想的代表诗人——詹姆斯·汤姆森（James Thomson）、马克·埃肯赛德（Mark Akenside）和托马斯·坎贝尔（Thomas Campbell）（汤姆森在附近的里士满区有一所住宅，透纳因此加深了对汤姆森的喜爱）。

透纳对文学的兴趣逐渐发展为对《圣经》（*Bible*）、亚历山大·蒲柏（Alexander Pope）的译作中的荷马（Homer）及约翰·德莱顿（John Dryden）译作中的维吉尔（Virgil）的热切研究。之后，他又阅读了绘画和透视的技术文献，以及更多其他题材的作品。他曾亲口告诉他的友人雷夫·H. S. 特里默（Rev. H. S. Trimmer），他最早的画作是用粉笔在布伦特福德的墙上涂鸦的公鸡和母鸡，让人不禁想起了托马斯·比尤伊克（Thomas Bewick）的童年，这很有可能是真的。那时候布伦特福德"距离伦敦10英里"，是个热闹的集市，与阿德尔菲河和萨沃伊河相比，布伦特福德的河流已经足够称得上乡村风光了。这段早期迁往乡村的经历让透纳对泰晤士河偏西的河段产生了持久的感情，多年后，他有能力盖一座乡间别墅了，就选择将其建在特威克纳姆（伦敦西南区），晚年时，他隐居在切尔西河边的小屋里，望着他深爱的水中光影，就这样离开人世。"如画理论"的创始人、教士威廉·吉尔平对环境有着迂腐的严格要求，即便如此，他也发现此处"河流宏伟，若我们靠近河流右岸，就可以看到和西斯特沃斯如出一辙的美景，从里士满花园高耸的树木间眺望布伦特福德，眼前的景色真是美极"。

透纳如此大器早成，自然有很多人好奇他的才华是如何培养、发展起来的。当时，这方面的记录很少，人们不断追溯一个问题："透纳师承何处？"托马斯·比尤伊克、建筑师约翰·拉斐尔·史密斯、建筑制图员托马斯·马尔顿、保罗·桑德比的绘画学校、乔舒亚·雷诺兹爵士的工作室都在猜测范围之列。透纳曾在雷诺兹工作室工作的想法似乎只是来自透纳的一句话，他说自己曾在学生时代临摹过雷诺兹的画作。从约瑟夫·法灵顿日记中的记述，以及两人的创作风格来看，透纳曾与托马斯·马尔顿共事，这倒是确有其事。1789年12月11日，透纳进入皇家美术学院之后，他的事情就被事无巨细地记录下来了。透纳之所以能14岁进入皇家美术学院免费学习，是因为一个石膏作品。在接下来的数年间，他也继续学习石膏创作，从石膏模型中汲取灵感，也从生活中汲取灵感。当然，他也没有忽视他最大的爱好，1793年，艺术家协会为他颁发了一个风景画奖项。

他第一次远游是在14岁那年，也就是1789年，被皇家美术学院录取的那一年，是去拜访布伦特福德那位收留了他一阵子的舅舅。1789年，他的舅舅住在桑宁维尔，距离阿宾顿不远，比牛津更远一些。透纳带着自制的速写簿四处写生，主题大多是附近的建筑。其中一次，他画下了从阿宾顿路遥望牛津的场景，此后他又数次回到这里。透纳

图4

**图4** 上图，《人体写生》(*Life Study*)，1792—1796年。1792年，透纳定期
参加皇家美术学院的人体写生课，1793—1799年间间歇参加

依照这次写生完成了一幅水彩画，他后来的许多精细创作都是在这本速写簿的基础上进行的。这本速写簿以及他后来的所有速写簿，直到去世都保存在他自己手中。

1790年，透纳的一幅画作成功被皇家美术学院选中参展。这幅作品很好地将他与自己职业生涯早期的两位建筑家导师联系在一起，题为《兰贝斯大主教宫的景色》（The Archbishop's Palace, Lambeth）。展览前一年他就尝试了这个主题，这是他的第二次尝试。第一次是为托马斯·哈德威克创作的，他委托透纳依据上文提到的速写簿和另外一个设计创作了这幅画。而第二次，也就是展出的这一幅画，在风格上接近托马斯·马尔顿，这似乎证明了这位导师对透纳的影响在1790年达到了顶峰。

次年，透纳游历了英国西南部各郡，还拜访了他父亲的朋友、住在布里斯托尔的约翰·纳拉威（John Narraway）。这次旅行的过程中，他开始在第二本为人所知的速写簿上写生。这一年，他16岁，写生的主题转向更狂野、更浪漫的景色，这些主题深深打动了他：埃文峡谷、霍特威尔斯以及塞文河一座岛屿上颓圮的教堂。他继续致力于建筑研究，特别是马姆斯伯里修道院和巴斯修道院的哥特式结构，这是他一系列哥特式建筑画的开端。在选择主题时，透纳忠实于时代的品位，发现中世纪和毁灭的事物同样能给人带来如画般的愉悦和浪漫的刺激。与此同时，他也在一定程度上放弃了从托马斯·马尔顿那里学来的严格的逻辑和精确的绘画技巧。托马斯·马尔顿是一位大师，最喜欢用清晰生动的笔墨描绘新建成的建筑和现代的街景。

透纳这两种相异的兴趣可以从1792年皇家美术学院展出的两幅作品中体现出来。1792年，他细化了1791年绘制的草图，创作了《马姆斯伯里修道院》（Malmesbury），这是哥特主题的进一步发展。而《万神殿，火灾后的早晨》（The Pantheon, the Morning after the Fire）在艺术风格上十分接近马尔顿，描绘的是透纳目睹的被毁坏的建筑。数年之后，火焰也成了透纳作品的主题，但这幅画中只有静态的渲染，逻辑和色彩完全属于18世纪。画面上，冰霜和人群之间的戏剧感油然而生，但建筑的正面却给人一种完整感，冲淡了灾难效果。这幅画似乎是他最后一次展现自己的雄心壮志，格鲁吉亚风格运用得淋漓尽致。透纳很重视自己对建筑的兴趣，在他再次为他作品的收藏家托马斯·哈

**图5** 上图,《马姆斯伯里修道院》,1792年

**图6** 上图，《万神殿，火灾后的早晨》，1792年，风格接近透纳的导师马尔顿

**图7**

德威克绘制了第二张室内设计图之后，这一点又一次体现出来。

　　大约是在1792年秋天，透纳到威尔士游历，途中开始拓宽自己对各种美景的既有认识。尽管他只在南威尔士活动，但他第一次见到了丁登寺，在未来的十年间他多次创作以丁登寺为主题的作品；此外，他还见到了上瓦伊峡谷的瀑布和沟壑。威廉·吉尔平在他的《瓦伊之旅》（*Wye Tour*）一书中特别挑出了丁登寺，还配上了插图。这本书出版于1783年，是一本标准旅行指南，其中包含对"如画理论"的反思。吉尔平在书中这样描写丁登寺："森林中，间或出现几块空地，河流蜿蜒，地形多变；这壮丽的废墟和自然景物形成了鲜明的对比；山峰和整个山体的线条连绵起伏，十分优雅；这一切构成了一道极其迷人的风景。"

　　在18世纪最后的几年间，透纳继续开拓着他早就踏上的征程。越来越多的作品在皇家美术学院展出，其中1794年展出了5幅水彩画，

图11

1795年8幅水彩画，1796年增加到了10幅。画作的主题都是从速写中挑选出来的，它们来自他愈发频繁的出游经历。在纯粹的自然风光之中，透纳尤爱威尔士的河流景色，卡迪根郡魔鬼桥附近的景致不止一次出现在画面中。但他送去展览的主题更多是哥特式建筑的场景，这些作品都带有一种戏剧性的浪漫效果。在1796年展出的《威斯敏斯特大教堂：主教艾斯利普教堂》（Westminster Abbey: Bishop Islip's Chapel）中，视角设置得很低，柱子耸立在画面的上边缘之外，孤独的人物和旁观者在恢宏的室内空间下都显得渺小。这时，他对光线效果越来越感兴趣，到了1797年，作品《艾文尼修道院耳堂，格拉摩根郡》（Transept of Ewenny Priory, Glamorganshire）背景中神秘的阴影被光线穿透，形成了色调对比，预示了他后来对室内场景画法的一些探索。在他早期的作品中，理智与情感是对立的，地形与风景也是对立的，现在他开始将这些对立的元素结合起来，并以一种被同时代评论家认为完全属于他自己的方式，在水彩画方面取得了进步。

18世纪的最后十年里，地貌风景画逐渐融入浪漫主义评论之中，融入荒野、如画、废墟和历史场景的行列中。这一过程是在约翰·罗伯特·科曾斯、爱德华·戴耶斯（Edward Dayes）等专业人士以及威廉·吉尔平、詹姆斯·穆尔（James Moore）等业余人士的共同努力下得以实现的。透纳看到了其中潜在的可能性，并能比同时代的人更接近于实现这些可能性，这是他一生都在重复的行为模式。在这十年间，他创作水彩画时使用的颜色都是低调的蓝色和蓝灰色，饱含忧郁的情感内涵。而将近50年后，当他读到朋友查尔斯·伊斯雷特（Charles Eastlake）翻译的歌德（Goethe）的《色彩理论》（Theory of Colours）时，他发现自己已经从消极的、阴郁的色彩发展到了积极的、充满活力的色彩，后期作品中明亮的黄色和红色就是证明。

批评家的认可并非透纳唯一的成功，也不是他职业生涯中最重要的成功。委托透纳创作水彩画的赞助人最初只有哈德威克和一两个早年的朋友，后来却急剧增加，包括许多年轻画家最希望能接触到的重要客户。1795年的莫尔登勋爵（Lord Malden）和理查德·科尔特·霍尔爵士（Sir Richard Colt Hoare）、1797年的伊利主教爱德华·拉塞尔斯（Edward Lascelles），来自他们的订单越来越多。到了1798年，透纳告诉法灵顿，他的"工作量已超出能力之外"，更确切地说，在

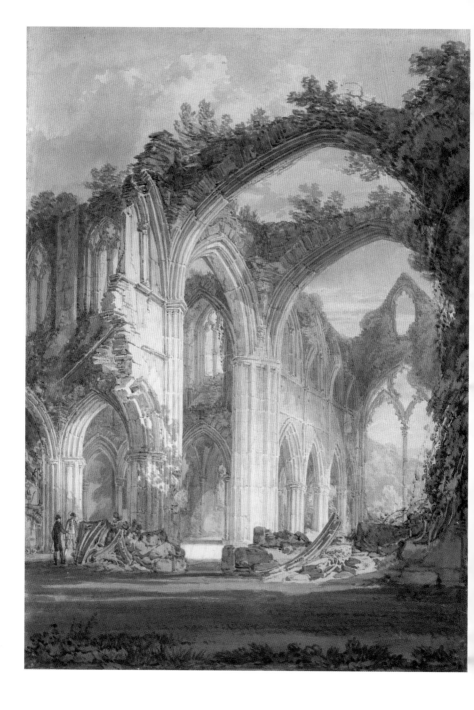

图7 对页图，《丁登寺内，蒙茅斯郡》(*Interior of Tintern Abbey, Monmouthshire*)，约1794年

图8 上图，《尼思河谷，梅林库尔瀑布》(*The Waterfall at Melincourt, Vale of Neath*)，1795年

**图9** 上图，《无名教堂的南廊与高塔》(*South porch and tower of an unidentified church*)，1790—1795年

**图10** 对页上图，《大树》(*A Great Tree*)，约1796年

**图11** 对页下图，《艾文尼修道院耳堂，格拉摩根郡》，1797年由皇家美术学院展出

1799年，他同时有"60幅不同人委托的画"要完成。早在1794年，透纳19岁时，就有人委托他绘制版画，但那时他的画还没有什么反响，却取得了重要的成果。

在随后的几年中，透纳运用其技巧来组织和促进其版画作品的销售，这样的发展十分有趣。那时候，让公众注意到他的风格、让他的名字更广为人知非常重要。最初，这些委托包括罗切斯特、切斯特、伊利等城市景观，在《铜板杂志》（Copper-Plate Magazine）和更小型的《口袋杂志》（Pocket Magazine）上发表。1795年，埃德温·兰西尔爵士（Sir Edwin Landseer）的父亲、雕刻家约翰·兰西尔（John Landseer）委托透纳为怀特岛画10幅风景画，两人之间的联系维持了很多年。像其他许多雕刻家一样，兰西尔有一双敏锐的、洞察力极强的眼睛，他不害怕现代的新事物，也不避讳超越时代艺术，正因如此，他于1808年、1839年和1840年针对透纳的作品写作了一些睿智而敏锐的评论。1840年前后，透纳后期作品实验性的风格挑战着许多他曾经的崇拜者。

图7～
图22

无论是展出的作品，还是收藏家、雕刻家委托他创作的作品，都来源于他旅途中画下的速写。职业生涯伊始，透纳就在旅行中展现出了自己的毅力，以及他尽可能尝试不同主题的惊人勤奋，他的勤奋和能力一样引人注目。透纳对经验的渴望和他充沛的精力从他按时起床看日出这一习惯中可见一斑。只有1796年，他似乎一直待在布莱顿，很少作画。其他时候，透纳的时间都安排得满满当当，1793年在牛津和肯特郡，1795年在怀特岛和南威尔士，1797年在湖区和苏格兰，1798年和1799年都在北威尔士。这时候，透纳还没有研究出图像速记法，这种方法让他能够将他见到的事物简化为寥寥几笔的助记符号。1795年的"怀特岛"速写簿就是他这一阶段工作方式的典型例子。在透纳精心安排的行程途中，他在温切斯特逗留了一阵子，由此创作出了《黄油十字架》（The Butter Cross）。这是一幅他人委托的水彩画，后来被做成了雕刻。要前往怀特岛，必须经过内特利和南安普顿，这两个地方最令透纳兴奋的不是当地的建筑和景观，而是阿勒姆湾的条纹峭壁。他以这个主题创作出了一幅极为完整且令人满意的水彩画，摒弃了他过去只用铅笔，或只上一种颜色画速写的习惯。逗留温切斯特期间，外出时，以及从温切斯特的归途中，他都在索尔兹伯里停留

**图12** 上图，《基督教堂正门，坎特伯雷》（*Christ Church Gate, Canterbury*），1793—1794年

图16

过。为完成理查德·科尔特·霍尔爵士的一项重大委托，他在这里寻找并创作了一系列与大教堂和城市有关的题材。透纳对哥特式建筑的研究细致入微，用铅笔就能画得很好，但建筑本身就像图表，无须寻找空中透视。透纳用这些研究创作了许多最伟大、最引人瞩目的水彩画，其中前所未有地运用了浪漫主义的艺术风格，充分发挥了画布裁切的效果，让那些画幅看起来极为宏伟。

　　这样一位已经拥有如此显著的成就且为人认可的艺术家，在创作这些作品的同时，竟然还要去学校，这看起来似乎匪夷所思。但事实就是如此，用透纳自己的话说，1795年，透纳和一群组织松散的年轻艺术家一起工作，这个团体被称为"门罗学院"（Monro Academy）或"门罗学校"（Monro School）。近年的研究让门罗医生（Dr Monro）的魅力有所削减，他是精神疾病方面的权威专家，曾治疗过

图13 对页上图，《多佛：码头与风暴中的海上船只》(The Pier, with a Ship at Sea in a Storm )，约1793年。这是一张未完成的速写，前景是码头，可以看到降下一半的旗帜和放下风帆的船体

图14 对页下图，《山毛榉，霍克霍尔特，肯特郡》(A Beech Wood, Knockholt, Kent )，1799—1800年

图15 下图，《穿过赫里福德的入口》(Cross at the Entrance to Hereford )，1793年

**图16** 上图，《回廊所见索尔兹伯里南景》(*South View of Salisbury Cathedral from the Cloisters*)，1802年。1792年至约1802年间为理查德·科尔特·霍尔爵士创作的8幅水彩画中的最后一幅

**图 17** 下图，《幽暗的监狱（奥斯科拉监狱）》[ *Dark Prison (Carcere Oscura)* ]，1790—1799年

乔治三世（George III），后来在贝特莱姆医院照顾透纳的母亲。人们不再将他视作纯粹的、资助年轻人的慈善家，事实上，有人认为他总是和年轻人讨价还价，透纳的父亲就持有这样的观点。如果这是真的，人们就会猜测，门罗的动机可能仅仅是为了得到他买不起的作品的复制品，因为几乎所有学生临摹的昔日大师的、以及同时代英国艺术家的作品最后都成了他的收藏。当然，这种猜测肯定并非真相。

透纳和门罗的来往显然有足够的价值，让透纳和他的朋友吉尔丁能在1794到1797年大约三年的时间里参加门罗的晚间聚会。门罗在阿德尔菲台的住所距离透纳的住处只有两三分钟的路程，可以观赏到泰晤士河的美景。他安排宾客们工作三到四个小时，给他们2先令6便士或3先令6便士的薪酬，并为他们准备晚餐。他们的工作性质就是临摹或者复制草图，然后加工成完整的作品。已知使用过的原作包括戴耶斯、托马斯·赫恩（Thomas Hearne）、业余画家约翰·亨德森（John Henderson）的作品，其中亨德森就住在门罗医生隔壁。更有趣的是，这份工作对透纳和吉尔丁的价值，主要在于临摹英国浪漫主义风景画先驱约翰·罗伯特·科曾斯的草稿。1794年，科曾斯精神失常，在贝特莱姆医院接受门罗医生的专业照护。依据法灵顿那时的日记，吉尔丁临摹了科曾斯草图的轮廓，然后交给透纳上色，完成作品。最终得到的画作是对科曾斯作品的重新诠释，但基调并不那么忧郁，它们更大胆、更新鲜，不拖泥带水。透纳不仅从这些作品中学到了很多，也受到了同时代最有天赋的对手的刺激，获益匪浅。吉尔丁是戴耶斯的学生，研究的是地形测绘最新趋势的源流，能带来很多新想法，有一段时间，他和透纳的风格变得十分相似。更重要的是，临摹作品的主题是瑞士和意大利最狂野、最浪漫的风景，它们和克洛德和普桑的画作一样，必定燃起了透纳亲眼去看看这些风景、亲手将它们画下来的雄心。

门罗死后，他的收藏被送去售卖。这些晚间聚会上制作的大量复制品，显然被相当草率地归类为透纳的作品，他将这些作品，以及其他艺术家创作的作品全部买下。一些记载表明，透纳只是可耻地嫉妒

图18 对页上图，《煤溪谷的石灰窑》（Limekiln at Coalbrookdale），约1797年
图19 对页下图，《博罗戴尔，朗斯韦特桥和卡斯尔丘》（Borrowdale, with Longthwaite Bridge and Castle Crag），1799—1802年

与自己同龄的吉尔丁，但这种说法缺少证据。1795年前后，两人在门罗学院共事，那时透纳远比吉尔丁出名。1797年，一篇批评写道，吉尔丁的绘画方式借鉴了透纳，这是当时一个相对公正的观点。在生命的最后几年里，吉尔丁的水彩风格与透纳的水彩风格出现了分歧，甚至吉尔丁的风格比透纳的更早发展成形，其温暖和谐的基调、处理的广度和视角的选择充分展现了他风景画中的浪漫情调。

但透纳无须为此感到忧虑。那时他不仅是皇家美术学院的会员（吉尔丁始终没有得到会员资格），还开始创作油画，并准备将其作为自己主要的创作方向。

吉尔丁英年早逝无疑截断了他的职业生涯，但他的经历彰显了向油画转型这一步骤的重要性。目前我们知道的是，他只创作过一幅油画，因为他遵循着18世纪水彩画的传统：许多英国艺术家的确专擅水彩画，几乎完全不涉足油画。保罗·桑德比、托马斯·赫恩、迈克尔·安杰洛·鲁克都是如此〔约翰·罗伯特·科曾斯是例外，他创作过一幅很有影响力的油画《汉尼拔穿越阿尔卑斯山》（*Hannibal Crossing the Alps*）〕。透纳早期就已取得惊人的成功，本来很可能倾向于服从赞助人的压力，只做一个水彩画家，但他有更大的野心。

图24

1796年，透纳首次在皇家美术学院展出油画作品《海上渔夫》。在展览期间，这幅作品广受赞誉，也充分证明了当代评论家认为透纳拥有"独创思维"的观点是正确的。当时，和透纳一同旅行过一两次的雕刻师E.贝尔（E. Bell）指出，这幅描绘"在三针石（怀特岛西南角海上隆起的三座巨大的白垩石）附近风浪急流中的渔船"的画，"无论是从画作尺寸大小还是完成度角度来说，都是透纳真正意义上的第一幅油画"。

在用一种全新而陌生的绘画形式处理这个月光下的场景时，透纳没有留下丝毫犹豫的痕迹，这无疑是一个了不起的成就。这幅画表达了透纳自己在那一刻面对开阔的海面、海洋的生命力和海水流动性时的感受，以及对怀特岛海岸海域的危险性的理解，同时也结合了他对包括斯科特、布鲁金（Brooking）和塞勒斯（Serres）在内的一长串英国海洋画家的了解。

透纳的油画创作是以水彩技法为基础进行的，为此他经常受到指责。正如我们所知，这是乔治·博蒙特爵士（Sir George Beaumont）

图20 顶部左图，《林间远眺达谟大教堂》（*Durham Cathedral Seen through a Grove of Trees*），1801年

图21 顶部右图，《克莱德河上瀑布》（*Fall of the Clyde*），1801年

图22 上图，《林利斯戈宫，苏格兰》（*Linlithgow Palace, Scotland*），1801年

**图23** 上图，《科尼斯顿瀑布之晨，坎伯兰郡》（*Morning amongst the Coniston Fells*），1798年

对透纳的种种谴责之一，并得到了康斯太布尔的附和。然而，《海上渔夫》所展现的，是透纳通过油画这种崭新的媒介学习了一种全然不同的表现形式。他在创作这幅画的时候绝不只是将他在《阿勒姆湾》（Alum Bay）及《威斯敏斯特教堂》（Westminster Abbey）等高级水彩作品中传达出的思想照搬到油画中。油画技法能够扩大他绘画中光影的范围，令他能够在画中浑浊起伏的水面上，极其精妙地区分开船员手中提灯的倒影和穿透云层的月光。画面中的月亮被薄纱般的云层环绕，这既是出于他自己的偏好，也是出于对前人的模仿；他对色彩和色调的细微变化深深着迷，而云与月的组合为他留出了观察这些细微变化的空间。德比的约瑟夫·赖特（Joseph Wright of Derby）和P. J. 卢戴尔布格（P. J. De Loutherbourg）没有深入研究这些问题，因为他们着重体现生动的现实主义和浪漫主义风格，喜欢描绘没有云层的明澈月光，没有去探索光线在穿过半透明介质时会有怎样的细微变化。另外，从透纳之后的作品的角度来看，这幅油画中月亮位于前景，这一点也同样十分重要。我们经常可以看到透纳将太阳或月亮作为画面中的光源，这是他在第一幅油画作品中就已经形成的思维习惯，而在当时他就已经可以将其描绘得恰如其分。

　　对于透纳来说，开始进行油画创作是一个重要的决定。在当时，不同种类的绘画之间存在着等级制度，正如历史画被认为优于风景画一样，油画也被认为更胜水彩画一筹。此外，虽然没有明文规定水彩画家不能成为皇家美术学院的会员，但他们无疑受到了歧视。吉尔丁在油画领域进行孤独实验的背后，或许就隐藏着打破这层壁垒的渴望。显然，透纳和吉尔丁并不一样，吉尔丁没能全身心投入油画之中，但透纳却被油画吸引住了，他的抱负是：只要看到一线希望，就一定要抓住机会成为皇家美术学院的一员。《海上渔夫》展出两年后，透纳又展出了《巴特米尔湖——坎伯兰郡的科马克山溪一景》（Buttermere Lake with Part of Cromackwater, Cumberland, a Shower），此时他的油画技艺已大大精进。对他而言，完全区分并描绘出色调的细微差异、打造空中透视效果已成为可能。但是，曾经很欣赏透纳早期油画作品的约翰·霍普纳（John Hoppner）在他的工作室看到这幅画时，却评价透纳是个"不敢冒险的胆小鬼"，这样的评价令人震惊，因为画中呈现出了更令人印象深刻的独创性。

图25

在1798年的画展上，透纳开始创新性地引用文学作品，将其添加进展览目录的画作条目中。其中有四条来自诗人汤姆森的《四季》（*The Seasons*）。同年，华兹华斯（Wordsworth）和柯勒律治（Coleridge）的《抒情歌谣集》（*Lyrical Ballads*）发表，但这两位湖畔诗人（19世纪英国浪漫主义运动中的一个流派，作品主要赞美湖光山色）并未取代汤姆森在风景画家心目中的地位，他是这些画家选用的文学意象的主要来源。除了《四季》，透纳还引用了弥尔顿（Milton）的诗句："雾气和水汽们呀，你们从山中或烟水蒸腾的湖上升起时"。

透纳的所有引用都提到了光线和空气的效果。诚然，整个文本的选择非常有趣，它体现了透纳真实的诗歌品位，以及他在文学和自己的绘画之间寻找相似之处的渴望，这种渴望也促成了他的手稿诗《希望的谬误》（*Fallacies of Hope*）的创作。在展出画作《邓斯坦伯城

图24 下图，《海上渔夫》，透纳第一幅展出的油画，1796年

图25 上图，《巴特米尔湖——坎伯兰郡的科马克山溪一景》，1798年展出

堡》(*Dunstanburgh Castle*，现藏于墨尔本维多利亚国家美术馆）时，他引用了《四季》中的段落，30年后，康斯太布尔也选用相同的段落来搭配自己的作品《哈德利城堡》(*Hadleigh Castle*)。透纳为水彩画《诺勒姆城堡》(*Norham Castle*)选取的诗句十分抽象，这些诗句似乎与《诺勒姆城堡》更广为人知的后一种版本更为相配，因为它淋漓尽致地表现出了透纳非写实主义的风格，这些诗句是："云翳渐散/燃起蔚蓝的天际，与起伏的群山/熠熠生着光"。

　　1798年这场内容丰富的展出之后，透纳开始了北威尔士之旅，第一次见到了威尔逊的乡村，包括斯诺登峰和兰贝里斯山口。这一次，他仍然特别注意那些浪漫的、军事上难以接近的城堡，其中包括哈勒赫城堡、卡那封城堡和多巴达恩城堡。归家后，透纳等待着第一次申请成为皇家美术学院会员的成果。他在公众当中已经有了足够的知名度，得到了学院关键人物约瑟夫·法灵顿的投票，这位颇具影响力的人

图26～
图27

物判断透纳有机会成为两个录取名额中的一人。但结果，未来的学院院长马丁·阿彻·希（Martin Archer Shee）第一个被录取，透纳在最后一轮投票中被雕塑家查尔斯·罗西（Charles Rossi）击败，未能当选第二名。尽管如此，仍有很多人支持透纳，而且无论如何，他还没到皇家美术学院限定的会员最低年龄——24岁。

毫无疑问，为加深学院会员对自己的印象，透纳在1799年的画展上又一次展出了一大组作品，4幅油画和7幅水彩画。他引用的诗句包括汤姆森的合作者戴维·马利特（David Mallet）的，节选的诗句让人想起黄昏的暮光及年轻人自欺欺人的乐观主义。北威尔士之旅中的三座城堡为他提供了选题，此外他还展出了两幅惊艳的索尔兹伯里大教堂的水彩画，这是理查德·科尔特·霍尔爵士委托他创作的。另外两幅水彩画，《阿伯加文尼桥》（*Abergavenny Bridge*）和《沃克沃思城堡》（*Warkworth Castle*）现存于伦敦的维多利亚艾尔伯特博物馆。尽管画面构图很大气，但这些画作的色调构思比较单一，从深蓝色到

**图26** 对页图，《康威城堡，北威尔士》（*Conway Castle, North Wales*），1798年

**图27** 上图，《多巴达恩城堡，北威尔士》（*Dolbadern Castle, North Wales*），1800年，透纳的毕业作品，1800年由皇家美术学院展出

图28 上图，《阿佛纳斯湖畔 —— 埃涅阿斯与西比尔》（*Aeneas and the Sibyl, Lake Avernus*），约1798年

赭石色。透纳正在尝试将油画中学到的丰富色彩运用到水彩之中，同时也想吸收吉尔丁在暖色调和画面层次方面出色的研究成果，但呈现出的作品显然有些笨拙。1799年发生了一件值得一提的事，那就是素描协会（Sketching Society）的成立，吉尔丁是这一协会的主要成员，"其目的是通过事件建立一个历史风景画学派，主题从诗歌的段落间设计"。透纳并非其中一员，但他通过一幅展出的作品表现出了自己对"空气中有何存在"这一问题的意识，这幅作品是他为朗霍尔博士（Dr Langhorne）《幻想的愿景》（*Visions of Fancy*）创作的一幅插画，已经失传，但他挑选的选段预示了他后来在自己的诗歌中详细表达的悲观主义，选段对比了充满希望与欢乐的"生命之晨的风景"，与"黑云压城"的威胁。这可能是透纳第一次有意从场景刻画中脱离出来，不论这种技法如何被浪漫化。他开始创作一些特别诗

图28

意的、非本地的主题。透纳遗作中的油画《阿佛纳斯湖畔——埃涅阿斯与西比尔》创作于1798年，部分基于理查德·科尔特·霍尔的草稿，很大程度上蕴含着威尔森（Wilson）的创作精神，他对英国历史风景画的最大贡献在于作品《尼俄伯之子的毁灭》（*Destruction of Niobe's Children*）。主题选择表明透纳已经熟悉了维吉尔的叙述，狄多（Dido）的故事及后续时常萦绕在他的想象中，他在1823年的作品《贝亚湾，阿波罗与女先知》（*The Bay of Baiae, with Apollo and the Sibyl*）和1834年的《金色树枝》（*The Golden Bough*）中都回到了这个主题，而他展出的最后一组作品的主题来自《埃涅阿斯纪》（*Aeneid*）中的场景。透纳的抱负是要为受到雷诺兹贬低的历史风景画派做出重要贡献，第一次起草他的心愿时，他计划在他的透视讲座中鼓励这一流派的发展。

图102
图141

透纳首次展出的当代历史题材作品是《尼罗河之战》（*The Battle of the Nile*），于1799年在皇家美术学院展出，现已失传。这幅画完整的标题记录了它描述的戏剧性的时刻，法国"东方"号船爆炸。但令人失望的是，同年在伦敦展出相同主题全景作品的画家实际上是另一位画家威廉·透纳（William Turner）。这一定是一部惊心动魄的作品，也许还归功于透纳早期的一位导师德·卢森伯格（De Loutherbourg），他帮助开创了一种结合了绘画、舞台艺术和壮观的灯光效果的新艺术形式。德·卢森伯格的作品《精神病》（*Eidophusikon*）于1781年引进英国，是一部兼具娱乐性和艺术效果的作品。不断更换的画面、移动和背景光对一天中不同时段空气效果进行了模仿，德·卢森伯格处理的主题包括格林威治公园的黎明、伦敦的一场风暴、意大利港口的夕阳、月光下的地中海、海难、尼亚加拉大瀑布和排兵布阵的撒旦，宛如一座喧闹的建筑。这种让盖恩斯伯勒着迷的手法，也同样吸引了透纳。我们不仅可以看到透纳对种种主题的别样解释，也可以看到他在实践中对可能性的强调，这在他第二年展出的作品《埃及的第五个灾

图30

难》（*The Fifth Plague of Egypt*）燃烧的火焰中第一次得到了体现。此外，在18世纪的最后一天，透纳第二次向皇家美术学院提出的申请成功通过，他正式成为了皇家美术学院的会员。

# 第二章

# 皇家美术学院

　　我们看到，在透纳首次尝试成为皇家美术学院会员的时候，他得到了约瑟夫·法灵顿的大力支持。1798年10月，他登门拜访这位赞助人谈论自己的现状，提到了他所处的物质环境，尤其是他仍和自己的父母居住在梅登巷的理发店这一点。法灵顿"认为如果让他更受人尊敬，自己也可以获得好处"，于是建议他攒下"几百英镑"。毫无疑问，那时透纳已有了十分可观的积蓄。在接下来的几年中，富有的收藏家约翰·朱利叶斯·安格斯坦（John Julius Angerstein）花40基尼（1基尼合21先令，现值1.05英镑）请他画一幅画，那时候他手头上还有60个未完成的委托任务。透纳完全可以说自己挣的比花的多了。

　　这次拜访揭示了透纳在参加了皇家美术学院的选举后，对家庭生活愈发不满，他的自尊心也在不断增强。另一个促使他做出此举的事件是1798年5月，知名合唱作曲家约翰·丹比（John Danby）的逝世。透纳要么是在约翰·丹比逝世前就与他的妻子莎拉相识，要么就是在丹比逝世后不久与她成了朋友。莎拉可能比透纳年长11到15岁，她很快成了透纳的秘书。1799年前后，透纳开始援助莎拉和她的孩子。过了一阵子，透纳和莎拉的第一个孩子埃维莉娜（Evelina）出生了。他们似乎并没有结婚，而且一旦承认他们的同居关系或是性关系，莎拉就不再能得到她作为丹比遗孀的补助，皇家艺术协会的津贴也会停止。尽管如此，莎拉仍然和透纳及他的父亲生活在一起，为他们操持家务，直到1813年左右，两人的关系告终。虽然这种不确定的，甚至是隐蔽的情感状态很适合透纳，但正如他在一些更放纵的素描作品中展示的那样，他也和常人一样有肉欲的天性；另一方面，他也成功避免了和

**图29** 上图,《自画像》(*Self Portrait*),约1799年

其他人之间过于排他、咄咄逼人的关系。婚姻，或者其他长久的关系，似乎会影响他创作的注意力，也会影响他频繁的写生之旅。同时，他还可以沉浸在对自己私事保密的爱好之中。

如果不是早期传记作者滑稽地为他的情感关系辩解，这一插曲似乎不会如此令人难忘。芬伯格为透纳撰写的传记一度被视作标杆，他写道："没有证据证明丹比太太除了管家之外还有其他身份。"其他作家则把莎拉和另一位年轻得多的女演员混为一谈，或是分辨不清莎拉和约翰·丹比的侄女汉娜·丹比（Hannah Danby）；汉娜身有残疾且容貌损毁，在之后的几年里为透纳操持家务，一些人认为她是透纳对人品位粗俗的一个例子，这种说法十分不公平。

与莎拉同居的前一两年，透纳找到了当年非常富有的收藏家之一，威廉·贝克福德（William Beckford）做他的赞助人。透纳为他创作了5幅以放山修道院（Fonthill）为主题的绘画，1800年由皇家美术学院展出。画面恰如其分地展现出了修道院尚未完工的高塔建成之后的模样，打破了画面的前景，为这个宏伟的修道院设置了如画般的环境。1799年春，贝克福德从罗马买下了克洛德系列作品"改变"（Altieri）中的两幅（现藏于英国剑桥郡安格尔西修道院），并允许艺术家到他在伦敦的家中观赏，这对透纳的帮助可能要比金钱更大。据法灵顿记述，透纳在贝克福德家中看到克洛德的《向阿波罗献祭》（*Sacrifice to Apollo*）时，"既愉悦又不快""这幅画似乎超越了他模仿的能力"。"模仿"应该是透纳的第一个愿望，这很有他的特点。他受到了这两幅画的冲击，与此同时，他的世界也正变得广阔：参选皇家美术学院、从父亲的住处出走、与莎拉·丹比的来往，都给了他更强大的自信，他的雄心壮志也开始蓬勃生长，体现在他第一篇关于历史画的论文中。透纳第一次运用这种手法展出的油画从《圣经》中选择了一个主题，题为《埃及的第五个灾难》。但实际上，画面展示的是第七次灾难的场景，展览目录中的引用揭示了这一点："耶和华就打雷、下雹，有火闪到地上。"

构图的古典逻辑来自普桑，但透纳通过他对自然现象的亲身经历拔高了他所知的任何构图方式。燃着火焰的天空点亮了埃及的地平线，天空透着青灰色的光亮，有一种狂野的浪漫感，淋漓尽致地反映出了灾难中破坏性的激情。据说，他之所以能画出这样厚重的云层，是因

图30

48

图30 上图，《埃及的第五个灾难》，1800年

图31 下图，《埃及的第五个灾难》，选自"研究之书"，1808年

**图32** 上图，《埃及的第十个灾难》（*The Tenth Plague of Egypt*），1802年展出

为他在斯诺登峰目睹了一场风暴。的确，画中呈现出的天空像是他亲眼观察到的，不像是想象出来的。他对历史背景精确性的追求，从他绘有埃及神俄塞里斯（Osiris）和阿皮斯（Apis）和其他考古相关细节的素描簿中就可以看出。他对全景画面的了解与喜爱也为那骇人的光线和戏剧性的写实场景增色不少。

　　这幅油画极具创造性，也是约翰·马丁（John Martin）和弗兰西斯·丹比（Francis Danby）末日题材的真正起源。末日题材的作品在20年后成熟，透纳自己也从中汲取灵感，创作了他最后的画作。《埃及的第五个灾难》被贝克福德买下，透纳希望自己的作品也能被收入克洛德的"改变"系列之中，这对他而言一定是莫大的动力，让他最终能够如愿以偿，把自己的画挂在了国家美术馆中克洛德的作品旁边。

　　《埃及的第五个灾难》的成功为透纳带来了一份委托：更大规模地模仿另一位昔日大师的作品。布里奇沃特公爵（Duke of Bridgewater）想要他为自己收藏中的小威廉·凡·德·维尔德（Willem Van de Velde the Younger）的作品创作一幅尺寸相同的姊妹作。画作的尺寸是152厘米×213厘米，透纳仔细研究了各种不同的设计，才找到一种让公爵满意的。这幅画将参加1801年的展览，除此之外透纳还准备了一幅历史油画和四幅水彩画，引发热烈关注。但有些人认为，透纳为公爵创作的作品几乎无异于剽窃，正在此时，人们第一次听到了影响力颇广的业余艺术家乔治·博蒙特爵士和他年轻的门徒约翰·康斯太布尔提出的异议。博蒙特对透纳的质疑很快就变成了蓄意的反对，但透纳的志向和现有的成就不容忽视。1801年，皇家美术学院接连出现了三个空缺的会员席位，在第二年年初的选举中，透纳无可辩驳地成了第一个当选的会员。就这样，在27岁生日前不久，透纳实现了他最大的职业愿望，在接下来的人生中，他始终对学院忠心耿耿。

透纳决心要继续创作那些为他带来成功的宏大主题，他对1802年展览的主要贡献是两幅关于大海的画作——《风暴中下风岸的渔夫》（*Fishermen upon a Lee-shore in Squally Weather*）和《船舶驶往锚地》（*Ships Bearing up for Anchorage*），这两幅画被埃格雷蒙特伯爵买下，现仍存于佩特沃斯。除此之外，他还送去了一幅更大的历史画《埃及的第十个灾难》，描绘了埃及人长子的死亡。

图32

1802年夏季展览前不久，《亚眠条约》（*Treaty of Amiens*）签订，英法之间的战争暂告段落，人们在两地的活动更加自由。在征服欧洲的过程中，拿破仑掠夺了很多重要的收藏品，并将其陈列在卢浮宫中。对艺术家而言，这是一个难得的、短暂的机会，他们得以观赏到自己此前仅通过复制品或版画了解的作品，而透纳是早期得到这一机会的人之一。7月15日，透纳离开英国前往巴黎，在巴黎的三个月内，他实现了两个截然不同的目标：第一个是亲眼看看瑞士的山脉和山谷，过去他只在门罗医生家中模仿科曾斯画作的时候间接研究过这些地方；第二是去卢浮宫参观收藏品。在卢浮宫，拿破仑为低地国家和德国的大师们增添了他所谓"意大利艺术中一切的美"。1812年，馆长多米尼克·维旺-德农（Dominique Vivant-Denon）曾说："皇帝完成了有史以来最震撼人心的艺术品收藏，这些艺术品都是他的胜利带来的。"1802年，这些收藏品吸引了大量参观者，包括本杰明·韦斯特（Benjamin West）、亨利·富泽利（Henry Fuseli）、霍普纳、约翰·奥佩（John Opie）、约翰·弗拉克斯曼（John Flaxman）等。

即便是21世纪最包罗万象的国际展览，也无法与这次卢浮宫大展相提并论。对英国艺术家而言，他们那时候还没有国家美术馆，很难

图33 上图，《加来码头》（*Calais Pier*），1803年

图34 下图，《巨浪中的小船，对岸是加来》（*Small Boats in Breakers, with Calais Beyond*），1802年，选自一本1802—1805年的速写簿，里面有很多绘画方面的习作，包括许多为创作《加来码头》画的习作

进入私人住宅参观，只能通过雕刻作品、到国外旅行来了解前人，这次展览给了他们千载难逢的机会。

透纳到达加来时所见的场面极具戏剧性，他对暴风雨席卷的港口的写生，对在风浪中爬上海岸的回忆是《加来码头》的创作基础。他一如既往精力充沛、精打细算地安排旅行，和别人合伙买了一辆轻便马车，什么东西都讨价还价。他的行程遍及瑞士的很多地方，包括查尔特勒修道院、冰海冰川、勃朗峰、圣哥达山口的魔鬼桥以及沙夫豪森的瀑布。这是一趟艰难的旅行，透纳告诉法灵顿，自己"经历了很多疲劳的步行，生活和住宿条件也经常很糟糕"。他对这次旅行的其他评论听起来都兴致不高，在透纳看来，那里的树木除了核桃树以外都不够美观，房子样式不好看，红色的砖瓦让人讨厌，酒也太酸，但这个国家"总体上比威尔士和苏格兰要强"。至于他真正的想法，我们不应该看他对法灵顿说了什么，而应该看看他的写生——他在6本速写簿里画了400多幅写生——以及他一生中以瑞士场景为主题的作品，17年后，他又一次回到了阿尔卑斯山脉。在《瑞士的圣哥达山口》(*The Pass of Saint Gotthard, Switzerland*)一作中，最能强烈、直接地感受到浪漫的风景，这个地方有一种令人眩晕的恐怖感，表现在画面紧张的垂直构图和简单粗暴、几乎只能看出一种颜色的色调。这幅画具象了埃德蒙·伯克（Edmund Burke）的崇高论（theory of sublime），从壮丽的自然景色中提取出了恐怖和敬畏的成分。

大约十周后，透纳回到巴黎，一门心思地投入到卢浮宫的绘画研究中。在这里，他创作了30多幅画，记录了分析笔记，他通过这些画满足了自己扩大艺术领域的愿望。透纳对普桑极为关注，以评论家的态度接近普桑，此前他已经在布里奇沃特公爵和阿什伯纳姆勋爵（Lord Ashburnham）的收藏中看到了一些普桑最优秀的作品。他对提香（Titian）也非常感兴趣。其他让透纳觉得值得写生、做笔记的意大利艺术家中，还有拉斐尔（Raphael）、科雷吉欧（Correggio）、圭尔奇诺（Guercino）和多梅尼基诺（Domenichino），他对多梅尼基诺的作品尤为热情。透纳对伦勃朗和鲁本斯（Rubens）持批判态度，对勒伊斯达尔（Ruysdael）有保留地表示赞赏，这表明他的气质和荷兰风景画家精确的造型、清澈的光线和广阔的天空并不协调。

在透纳目前为止的实践中，最重要的是他的素描和笔记非常注

图33

图37

图35 对页上图，《拿着红色的顶篷在队列中行走的女子》（*Women Walking in a Procession, and Carrying a Red Canopy*），1802年，选自1802年透纳在瑞士使用的一本速写簿，其中包含对农民和宗教游行队伍等主题的研究

图36 对页下图，《瑞士夏莫尼谷地的冰海》（*Mer de Glace, in the Valley of Chamouni, Switzerland*），1803年

图37 上图，《瑞士的圣哥达山口》，1803—1804年

图38 上图，《圣哥达山口的魔鬼桥》（*Devil's Bridge, Saint Gotthard's Pass*），约1804年

重绘画整体的色彩和谐。他已经意识到音乐模式和色彩色域之间的相似之处，这些色域根据不同情绪在不同绘画之间变化。普桑的《冬》(The Deluge) 色彩壮丽，难以解释地完美展现了自然的恐怖力量。针对圭尔奇诺的《拉撒路的复活》(The Resurrection of Lazarus)，他写道："阴郁的色调贯穿整个画面，有力地发挥作用，这种处理方式令人印象深刻，可以被视作有历史性的色彩。"什么样的色系最适合历史绘画？这是透纳在当时给出的最简洁的定义。

那个时候，透纳把注意力集中在这些画作的色彩平衡和色彩的整体效果上，他甚至在速写簿的某一页上潦草地记下了两幅画的图示，用首字母代表各种颜色。这些字母按空间关系分布，但他没有明确表示出整幅画或是画作某一部分的形式。这是他第一次开始使用几乎是从自然形式中抽象出来的色彩，这种色彩在他最后展出的一些油画中表现得最为极端，在"色彩的开端"(Color Beginnings) 和其他一些未展出的作品中更是如此。

显而易见，当透纳面对另一位大师的作品时，他的第一反应是："我可以画得更好，或者至少和他一样好。"这显示了他吸收、同化他人作品的能力。在卢浮宫这样的视觉盛宴面前，他既没有感到绝望，也没有迷失自己的目标，而是静下心来分析了二三十幅现阶段对他的发展最有意义的作品，专注于那些更需要他长久关心的问题：如何选择能够展现史诗效果的主题，以及如何成功通过色彩表达情感。

提香的《圣彼得殉教》(St Peter Martyr) 理所当然地成了透纳关注的对象，因为这幅作品是人物戏剧性动作与契合殉教主题的风景相结合的最著名的例子。将透纳的分析与康斯太布尔的分析相比较，结果非常有趣。透纳在笔记本中这样写道：

> 这幅画体现了他的观念和崇高智慧的巨大力量。人物对比鲜明，构图首屈一指，自然风景很有史诗感，人物出色地表达了伴随着恐惧的惊讶。残忍的刺客正大步跨过躺在地上的殉教者，殉教者高举双臂，为得到上天的承认而欢欣鼓舞。

> 即使在惊惧中，圣人也自有其尊严——虽然这种思想可能早有人借用过，但在这里，他却发展出了自己的思想。他似乎有能够束缚你的力量，这是至高力量的体现。天使们被

精巧地安排进画面，显得十分活泼。无疑，整体的崇高是局部的质朴塑造出的，而不是具有历史感的色彩塑造出的。

透纳认为，"具有历史感的色彩"源于整幅画面对"中和色"的使用。康斯太布尔同样评论了这幅画，他只见过这幅画的复制品或版画：

> 1520年，时年40岁的提香创作了著名的多米尼加·彼得（Dominican Peter）的殉难画，这幅画的背景就算不能说是17世纪欧洲各个流派风景画风格的范本，也可以称作是它们的基础。其中历史和风景的结合令人钦羡，场景设置在森林的边缘，正是日落西山的时候；从树木垂下的枝叶的间隙中，我们可以看见深蓝的天空，云层的高度及其平静的流动，由此判断出画面中的时间。将地平线放在较低的位置对构图大有帮助；尽管画面中较大的物体都非常壮观，但前景中较小的植物却用精致而不突兀的笔触完成，甚至在某棵树的枝条间还可以发现一个栖息着幼鸟的鸟巢。在这安逸宁静的环境中，一个刺客突然向两个无助的旅行者（两个修道士）扑过去，他们被吓了一跳。两个修道士一个被击倒在地，另一个受了伤，在极度恐惧中四处逃窜。在画面顶端，透过最高的树枝，一道明亮的、超自然的光线照射在垂死的人身上，他在荣耀中看到了天使的幻象，那是殉道的象征；天使降临时照亮了四周树木的枝叶，与林间的幽暗形成了鲜明的对比。在圣徒的头顶，古老的灌木开着哀悼的苍白花朵，可以看到远方村庄（也就是他此行目的地）的尖顶，让画面更加耐人寻味，也让构图更为丰富。还有一处绝妙的地方是，殉道者衣服的一部分被凶手的脚死死踩住，将受害者"钉"在地上。有人告诉我，这部伟大作品的崇高概念与它的画幅、色调不相上下，而细节的极度精致和变化丝毫无损于它的整体印象。

透纳首先看到的是画面的整体效果，这是他的典型做法，而康斯太布尔的注意力则被树叶和远处村庄尖顶的自然主义细节吸引；康斯

图39 上图，《珀斯郡的塔姆尔桥》（*Tummel Bridge Perthshire*），1802—1803年

图40 下图，《圣迈克尔城堡，博纳维尔，萨伏伊》（*Chateaux de St Michael, Bonneville, Savoy*），
1802—1803年

图41

图42

太布尔只是为授课阐明了一幅受伤的修道士的大幅画像，而透纳则立刻将这幅画融入他的绘画系统之中。透纳速写簿上的注释表明，他最初打算以此为基础创作他的《圣家庭》（*Holy Family*），但在1803年将宗教绘画纳入展览之前，他将这幅画一改再改。透纳放弃了垂直构图，也删去了天使的形象，在后来的《维纳斯和阿多尼斯》（*Venus and Adonis*）中才重新借用了这两点，《维纳斯和阿多尼斯》是他这十年间对颜料干爽处理的一个很好的例子。

从1802年正式成为皇家美术学院会员的那一刻起，透纳就全身心地投入到学院的各项活动中。对于一个成长在一个逼仄、不幸的小家庭中的人来说，被一个成熟、独立的专业团体接受的感觉具有格外重要的意义，直到晚年，透纳对学院依旧情意深重。

图41 下图，《圣家庭》，1803年由皇家美术学院展出
图42 对页图，《维纳斯和阿多尼斯》，1803—1805年

自透纳当选后，学院就陷入了周期性的派系斗争之中，"亲皇派"和"民主派"长期不和。透纳那时年轻气盛，又为自己的当选兴奋不已，于是十分热切地投身到了这些琐碎的争斗中。有一次，透纳和国王的风景画画家弗朗西斯·布儒瓦爵士（Sir Francis Bourgeois）起了冲突，透纳说他不过是个画家，这当然没错，问题在于布儒瓦爵士要评选建筑和雕塑方面的奖项。布儒瓦轻率地说，他是根据"那些最精通各自研究的人"的意见来投票的，透纳则忍不住说，他也应该去评选绘画的奖项。他们的交流最后沦落到布儒瓦称透纳为"一只小爬虫"，而透纳则告诉他自己是"一只没有礼貌的大爬虫"。

1804年春天，一件更糟糕的事发生了，透纳和法灵顿吵了起来。法灵顿记录了这次争吵，这也是我们得知该事件及其后续的唯一来源。法灵顿从一次会议中离席，去和布儒瓦以及罗伯特·斯默克（Robert Smirke）商议一桩生意：

> 我们回到理事会，发现之前离场时本不在那里的透纳出现了。他坐在我的椅子上，一看到我们就满面怒容，让我们为离席做出解释，我为他的傲慢感到愤怒，就厉声回答了他，告诉他这样对我们说话非常失礼，他又以同样的语气回应我，我就补充说他的行为让整个学院都怨声载道。

这些话伤透了透纳的心，让他在很长一段时间内都和学院保持距离。

那时候透纳已经拥有了雄厚的经济实力，一个例证是他能够把自己在哈利街的房子扩建到能容纳21米长、6米宽的大展览室的面积。1804年，他开始在这里举办个人画展。在英国绘画界，艺术家对自己的作品进行如此系统的展示是一种新奇的做法，尽管法国之前已有先例。透纳对绘画关注点的转变，加上学院内部的争吵，改变了透纳接下来许多年的展览模式。1803年，成为会员后，他凭借最初的那股热情在皇家美术学院的展览上展出了7幅作品，其中有5幅是油画。第二年，他开办了自己的画廊，就只为学院提供了2幅油画和1幅水彩画。1805年，与法灵顿发生冲突之后，透纳就一幅作品都不送了，画廊展览成了他出售画作的主要渠道。

图43

图43 上图,《带顶灯的画廊和相关方案》(A Picture Gallery with Roof Lights, and Related Plans),1818—1822年,一个画廊的设计,可能与透纳自宅的设计有关

此后的八到十年间,无论是在皇家美术学院还是在自己的画廊,透纳展出的作品可以被分为几种形式。首先是油画,透纳创作这些油画的动力在于模仿某位昔日大师的构图、画幅和能力。我们已经提到过他对普桑的模仿,1800年的《埃及的第五个灾难》和1802年的《埃及的第十个灾难》;他继续创作这一系列的作品,模仿了《冬》,试图改进他指出的普桑《冬》中的不足之处。1805年,他似乎在自己的画廊里展出了这幅取材自《圣经》的作品。他想方设法超越克洛德的作品,他对克洛德绘画手法的模仿在1815年的《狄多建设迦太基》[(Dido Building Carthage,又名《迦太基帝国的崛起》(the Rise of the Carthaginian Empire)]一作中达到了巅峰,他希望能把这幅画挂在国家美术馆克洛德的画作《海港》(Seaport)旁边。还有一些描绘海洋的作品,他希望能超越维尔德:一开始,是布里奇沃特公爵于1801年委托透纳创作《狂风中的荷兰船只:渔夫竭力将鱼捕捞上船》(Dutch Boats in a Gale: Fishermen Endeavouring to Put their Fish on Board),与他收藏的维尔德的作品放在一起,此后,透纳又于1803年

图30
图32

图68

图33
图44

创作了《加来码头》，1805年创作了《海难》（*Shipwreck*）。人物形象占主导地位的作品并不局限于受到卢浮宫中提香画作启发的宗教或寓言题材——比如1803年的《圣家庭》和1803—1805年的《维纳斯和阿多尼斯》。1808年，佩恩·奈特（Payne Knight）委托透纳创作伦勃朗《蜡烛》（*Candle Piece*）的姊妹作，尽管透纳在卢浮宫的笔记中提到伦勃朗"画得很糟糕，表现力很差"，他还是接受了挑战，按要求完成了一幅模仿画《未付的账单，或责备儿子挥霍无度的牙医》（*The Unpaid Bill, or the Dentist Reproving his Son's Prodigality*）。

图45

1806年，大卫·威尔基爵士（Sir David Wilkie）凭借《乡村政客》（*the Village Politicians*）的展出初露头角，透纳受此驱使，想向世人证明他也能在当代风俗画方面出类拔萃。相应地，1807年，他送去皇家美术学院的两幅作品中，有一幅就是当代风俗画，《乡村铁匠为蹄铁的价格争吵，屠夫小马蹄铁的价格》（*A Country Blacksmith Disputing upon the Price of Iron, and the Price Charged to the Butcher for Shoeing his Poney*）。甚至有报道称，在画展开幕的前一天，透纳对自己的画作进行了润色，以确保它比威尔基的《盲人小提琴手》（*The Blind Fiddler*）更加耀眼。这样的行为完全符合透纳的性格，而威尔基也能保持自己的风格，透纳也将自己的幽默基因集中在水彩画中的人物身上。

出于以上种种模仿他人的野心，透纳创作出了自己的笔记，这在一定程度上得益于一个明显的事实：透纳所画为其亲眼所见，他将其所见全部吸收到了自己惊人的视觉记忆中。《加来码头》中的海，《埃及的第五个灾难》中的风暴，是他观察到、研究过并牢记于心的自然现象，其真实性赋予了画面整体的原创性。透纳还有一个特点，让他的绘画作品不仅仅是对17世纪作品的模仿，更是19世纪本身的作品，那就是他技法的独特性和创造性。这种实验性的创造力很可能来自他早期接受的、延展性更强的水彩画的全面训练。在一份早期的报告中，透纳在使用水彩时，"没有特定的过程，而是驾驭着色彩，直到他表达出自己的想法"。法灵顿在1804年左右特别记录下了透纳的实践过程：

**图44** 对页上图，《海难》，1805年由透纳私人画廊展出

**图45** 对页下图：《乡村铁匠为蹄铁的价格争吵，屠夫小马蹄铁的价格》，1807年展出

图46 上图，《纷争女神在金苹果园中挑选金苹果》(*The Goddess of Discord Choosing the Apple of Contention in the Garden of the Hesperides*)，1806年展出

图47 下图，《吕卡思之死》(*The Death of Lycus*)，1805年

光线是用一支毛笔蘸水，涂在应是亮部的地方（相应的背景部分涂上了暗色），用毛笔和吸水纸提亮湿润的颜色；然后用面包屑将这一部分清理干净。一些后续可能还要用到的颜料可以拨到调色盘的其他地方。用一支白色的画线笔（直布罗陀岩石铅笔）勾勒出亮部的轮廓。用一支几乎干透的驼毛笔擦在轮廓线上，就可以让线条看起来富有拖曳感，这样做只会沾湿擦到的地方，用吸水纸除湿后，有光线的地方就会显现出来。

这种创造性的方法在他的油画处理中被发现，也解释了为何同时代的人难以理解他的绘画技巧。"大海看起来像用肥皂和粉笔画出来的"，这是一份报纸对《加来码头》的评论，而奥佩在1804年评论他的《1665年，船为荷兰士兵运送锚和缆绳》（*Boats Carrying out Anchors and Cables to Dutch Men of War, in 1665*）时说，水面"像海上设置了路障的公路"。在他的同时代人看来，这种效果是调色刀和谨慎使用低色调颜料结合的产物。透纳得到了他想要的自然效果，却不在乎人们是否能看出他实现的方法。

尽管如此，人们也不禁要问，1803年康斯太布尔在为《英国风景》（*English Landscape Scenery*）写序言时，是否特别想到了透纳。至少在草稿中，他体现出了一种无耻的自我辩护：

艺术和文学一样，人们力求区别两种模式：其一，艺术家仔细地应用他人完成的作品、模仿他们的作品，或选择结合他们作品中的美；其二，在原始的自然根源上追求卓越。一种是在绘画研究上形成一种风格，提供模仿或折中的艺术，术语"折中的艺术"（eclectic art）就是这个意思；另一种则是通过对大自然的仔细观察，发现大自然中存在着前人从未描绘过的特质，从而形成一种新颖的风格。

# 第三章
# "思维之广，妙不可言"

　　1819年以前，透纳展出的绘画题材大多来自他1802年就已经形成的想法，因为那时他心中已经选中了那些最能激起他雄心壮志的昔日大师，那些活力四射的写生之旅也给他留下了大量主题。他的主要精力从完成地形风景画的水彩委托转向了大规模的油画创作。从法国和瑞士归来后，他旅行的热情稍减，可能是因为他把注意力放在了其他方面。实现经济独立后，为巩固自己的地位，透纳先是开办了自己的画廊，然后在泰晤士河上游建了一所房子，一开始建在哈默史密斯，后来迁到特威克纳姆。

　　这几年，透纳不怎么跑东跑西，他离开伦敦和泰晤士河都是为了拜访朋友、接受赞助人的委托，或是去围观某些特殊的历史事件。1807年秋，他去了朴次茅斯，观看在哥本哈根战役中被俘的丹麦船只。正逢多事之秋，透纳的爱国情怀驱使他对英国海军史充满了兴趣：他画下了一幅名为《胜利号》（*Victory*）的素描，1805年这艘船驶进梅德韦港的时候，还载着舰队副司令纳尔逊（Nelson）的尸体。之后，透纳开始创作一幅大型绘画《托拉法加的海战》（*The Battle of Trafalgar*），1806年，他在自己的画廊中展出了这幅画未完成的版本，1808年在英国美术协会展出了完成后的作品。这是一幅创作难度非常高的原创作品，从胜利号后桅右舷的一个刁钻角度看去，能看出战斗正在进行。他画下被俘船只的两年后，在学院展出了《斯皮特黑德》（*Spithead*），却只字未提丹麦投降的事情，这幅画描绘的是英国港口的英国船只，副标题是《船员抛锚》（*boat's crew recovering an anchor*）。

图48

68

图51

1808年，约翰·莱斯特爵士（Sir John Leicester）邀请透纳为自己的住处——位于柴郡的塔布莱庄园画一幅风景画。约翰·莱斯特爵士是当代英国艺术家绘画收藏运动的领军人物，最早他与透纳接触的时候，曾遭到透纳的断然拒绝，这完全体现了透纳在出售画作时严格的专业精神。莱斯特爵士非常欣赏透纳1803年在学院展出的画作之一，《梅肯葡萄酒节的开幕》(*The Festival upon the Opening of the Vintage at Macon*)，透纳开价300基尼，这在当时算是很高的要价。莱斯特爵士出价250基尼，透纳拒绝了，第二年莱斯特爵士说可以按透纳提的原价购买，但这时透纳却把价格抬到了400基尼。最后是亚伯勒勋爵（Lord Yarborough）用400基尼买下了它。

图44

尽管两人的相识经历了一些波折，但莱斯特爵士坚持不懈，次年从透纳的私人画廊中购买了《海难》，他还同意为这幅成功的作品出版一幅版画。不久之后，他又邀请透纳从两个角度为塔布莱庄园作画。一位和透纳一起在塔布莱庄园暂住的艺术家称，透纳大部分时候都在钓鱼，而不是画画。另一位同时代的批评家公正地总结了自己的不同意见，他写道，"其他人看来不过是普通的地貌"，但"透纳赋予了它们高度的诗意，正因如此，他思想的优越性不言而喻"。莱斯特不断买入透纳的作品，1819年他向公众开放自己的画廊时，里面有8幅透纳的油画，比其他任何在世的艺术家都多，足见他对透纳杰出才华的认可。

图50

1809年，透纳又接受了类似的委托，前往威斯特摩兰郡的劳瑟城堡为朗斯代尔勋爵（Lord Lonsdale）创作两幅风景画，又向南到萨塞克斯郡，为埃格雷蒙特伯爵创作佩特沃斯的风景画。埃格雷蒙特作为贵族称得上是完美，"他真正掌握的知识比他假装自己懂的知识要多得多"，为人单纯善良、温和有礼。他是透纳早期的赞助人，而且比约翰·莱斯特爵士更经常为透纳提供资助。这次拜访埃格雷蒙特伯爵之后，透纳经常被邀请到佩特沃斯居住，尤其是在19世纪30年代。

还有一段关系是与约克郡沃夫河谷法恩利庄园（Farnley Hall）的沃尔特·福克斯（Walter Fawkes），两人也是因买画相识，后来发展出一段热烈的友谊。福克斯最早于1803年购买了透纳的水彩画。透纳1808年拜访了法恩利庄园，之后常常去那里居住，直到1825年福克斯去世。透纳成了法恩利家族亲密的朋友，他们非常珍惜他的陪伴，像

In the Possession of Walter Fawkes Esq' Farnley

图48 上图，《托拉法加的海战》从胜利号后桅右舷的一个刁钻角度看拖拉法加的海战，1806—1808年，甲板上载着受了致命伤的纳尔逊

图49 下图，《格林尼治公园远眺伦敦》(*London from Greenwich*)，选自"研究之书"，1811年

珍惜他的画作一样。在法恩利庄园度过的日子似乎是透纳最放松的时光，他在那里捕猎松鸡，和孩子们一起玩耍。

图55，
图57

所有这些经历为透纳的艺术提供了新的主题，但泰晤士河谷仍然是他情感的中心。1806年，透纳搬到了哈默史密斯的商业区，和他的父亲一起住，他放弃了一部分哈利街的旧房子，但画廊仍保留在那里。在哈默史密斯的花园里，他有一座避暑别墅，他在那里作画，观赏河边的风景。这是他进一步向泰晤士河上游迁移的前奏。1811年，透纳离开哈默史密斯，住进位于艾尔沃思锡永宫（Sion House）附近的锡永费里庄园（Sion Ferry House），亲自监督了自己房子的建造过程。起初，透纳将房子命名为"独居小屋"（Solus Ldge），表达自己对孤独的向往，之后又把名字改成了"桑迪克姆小屋"（Sandycombe Lodge）。他的父亲又成了家中十分重要的一份子，为他打理生意，担任他工作室的助手和管家，并且对儿子赚得的利益非常嫉妒。父子二人的联系自透纳夫人生病以来就变得十分紧密。

图50 下图，《坎伯兰的劳瑟城堡》（*Lowther Castle, Cumberland*），1809年

图51 跨页图，《塔布莱庄园，柴郡，J. F. 莱斯特爵士住所，巴特，平静的早晨》（*Tabley, Cheshire, the Seat of Sir J. F. Leicester, Bart. Calm Morning*），1809年展出

图52 对页上图，《薄雾中的日出：贩卖鱼货的渔夫》习作，1799—1805年

图53 对页下图，《薄雾中的日出：贩卖鱼货的渔夫》，1807年前

图54 上图，《渔夫在海浪中用锚机将船拖上岸》（*Fishermen Hauling a Boat through Surf on a Windlass*），1796—1797年

为了更全面地观察河道，透纳似乎租了一条船，他在船上作画，画一些露天作品。他这一时期的油画草图在他的工作中占有独特的地位。创作露天油画对他来说并不寻常。事实上，在罗马的时候，有人向他征询色彩素描的意见，他咕哝着回答说："在户外上色会占用太多时间，画一幅彩色作品的时间够他画十五六幅铅笔素写了。"

我们不必太在意这一点，因为依照各种主题创作的彩色画作贯穿了他的一生。但这一时期的油画在构造上不同寻常，这些草图多是在泰晤士河上创作的，是他早期非常重要的作品。这些作品具体是在什么时候创作的，这是一个令人感兴趣的问题。目前的共识是，这组素描最早是从1805年开始创作的。

1806年，约翰·莱斯特爵士购买了一幅有关沃尔顿桥的画，也是这组素描中的主题之一。人们推测其创作时间与透纳搬到近河的住处的时间是一致的，也与当时他展出的油画中以泰晤士河为主题的作品数量增加相吻合。这些作品包括1807年的《温莎的泰晤士河》（*Thames near Windsor*）、1808年的《从泰晤士河远眺伊顿公学》（*Eton College from the River*）以及1809年的《温莎，泰晤士河水闸附近》（*Near the Thames' Lock, Windsor*），它们全都被埃格雷蒙特伯爵从透纳的画廊中买下的创作时间。本杰明·韦斯特1807年5月参观透纳画廊后的评论也印证了上文，他对法灵顿说，自己对"看到的一切感到恶心；泰晤士河的风景、粗糙的斑点，没有什么比这更低劣了"。然而，和透纳艺术的其他不同阶段一样，对这一阶段的论述也是推测出来的。

图55　下图，《耕作萝卜，斯劳附近（温莎）》（*Ploughing up Turnips, near Slough ‹'Windsor'›*），1809年展出

图56 上图，《约克郡海岸》(*Coast of Yorkshire*)，选自"研究之书"，1811年

图57 下图，《沃尔顿桥段的泰晤士河》(*The Thames near Walton Bridges*)，1805年

如果我们把透纳这部分素描的创作时间定在1805年以后是正确的，那么这就表明透纳在某些方面期待着自由和更自然主义的户外油画素描形式的突破，而就我们所知，康斯太布尔是在1808年才在漫长的探索之后找到了自己的艺术。我们没有任何信息证明透纳在他的画廊里展示了任何如此私密的、未完成的作品，而且这也不符合他做事的风格，因为这可能会为康斯太布尔带来启发。更有可能的是，这是两位艺术家对共同问题有类似见解的又一个例子。的确，这种相似不是表层的，而是更深层的相似。透纳的素描是画在红褐色的画布上的，这种颜色是水、植被和天空色调的统一背景，和康斯太布尔从17世纪大师那里学来的背景色威尼斯红很接近。当地的色彩，那些绿树蓝天，都以自然的手法渲染，且其形式都不是非常精确，只是给出了大致了轮廓。虽然康斯太布尔的作品是他对家乡萨福克长时间思考的产物，但透纳的作品却出人意料地脱离了他一贯对大气回归的热情，而将重点放在了对随意选择的主题的快速理解上。

这个时期的透纳似乎没有精力创作足够多的油画来填满他的画廊，他开始在自己作品的版画上下功夫。他想要为约1805年约翰·莱斯特爵士买下的那幅《海难》制作一幅大型网线铜板版画，这个颇具雄心的计划这时开始实行。这幅版画尺寸很大，有84厘米×60厘米，订单纷至沓来，透纳作为一名海洋画家，比起光举办展览的时候更加出名了。

此后，透纳担任了一系列版画的出版商和编辑。尽管充满疑虑，但透纳还是迈出了这一步，他受到了朋友W. F. 威尔斯（W. F. Wells）的鼓励，威尔斯是一位无人问津的水彩画家，但也是一个活力充沛的组织者。威尔斯创立了水彩画协会，来协助建立水彩画的专业分支，据说透纳开设自己的画廊也是因为得到了他的建议。1806年，他对透纳说："透纳，为了你自己的名誉，你应该做点什么，如果在你死后有任何人想有损于你的名声，会有人将其和你为公众所做的贡献相比较。"透纳犹豫了一会儿，回答说（威尔斯的女儿46年后回忆起这段对话）："唉，一旦开始，就永无宁日了……好吧，帮我把那张纸递过来，为我规定一下尺寸，告诉我该选择什么样的主题。"

实际上，这可能就是"研究之书"的开端，尽管其中可能有些传说成分。这是受到了克洛德《真理之书》（*Liber Veritatis*）的启发，在这本书中，克洛德记录了他所有绘画的构图，用以分辨真伪。版画由理查德·厄勒姆（Richard Earlom）用温暖的深褐色雕刻，模仿了克洛德的洗涤介质，这些版画展现了透纳的计划，但透纳的目的并不是要提供他现存作品的插图目录。他将一些已经应用过的构图刻在版面上，开始将这个系列作为练习，揭示风景画的不同种类，以及自己能将它们全部掌握的才能。因此，透纳将风景画分为了以下几种：历史、山峦、田园、海洋、建筑，以及一个透纳没有解释的种类，他只写出了这个种类的首字母：EP。人们对EP的含义众说纷纭，有人说是史诗田园（Epic Pastoral），有人说是高雅田园（Elegant Pastoral），有人说是崇高田园（Elevated Pastoral）。尽管这些分类间有彼此包含的成分，但也的确涵盖出了透纳从事过的各类创作。"历史"指的是以历史为主

图30

题的绘画，比如《埃及的第五个灾难》，透纳将这幅画的设计记录了下来。"山峦"现在已经是艺术中一个突出的主题了，透纳在这个分类下记录的是《小魔鬼桥》（The Little Devils' Bridge）和其他一些瑞士的风景。"田园"包括《稻草院》（The Straw Yard）和《农场与公鸡》（Farmyard with the Cock）。

图24

　　"海洋"包括透纳早期成功的油画作品，1796年的《海上渔夫》，以及着重描绘风暴的《惠特比附近的约克郡海岸》（Coast of Yorkshire near Whitby）。"建筑"包括一些带有地形变换的建筑和城市景观，《格林尼治公园远眺伦敦》和《圣岛的教堂》（Holy Island Cathedral）。"史诗田园"（如果EP果真是Epic Pastoral的话）不

图60

仅包含透纳自己最喜欢的艾尔沃思的风景、《赛文和沃伊交界处》（Junction of Severn and Wye）和一张名为《孤独》（Solitude）的版画，还包括了模仿克洛德的作品《中景里的桥》（Bridge in Middle Distance）。这套模式揭示了透纳对风景画艺术整体的巨大雄心。

　　在技术方面，透纳选择了一种可以与厄勒姆制作的版画相比较的技术，此外，他还可以控制雕刻师的操作。他准备了钢笔和棕黑色的墨，或者说是准备了棕黑色的水彩画，自己蚀刻轮廓，并聘请专业雕刻师在网线铜版或凹版上刻好色调区域。然后，就像厄勒姆做的那样，这些版面被印在模仿图画颜色的暖棕色墨水里。透纳打算制作100幅版画，1809年至1819年间，透纳制作了71幅，但由于缺乏资金支持，他最终还是放弃了这个项目。虽然最初透纳是想把最富有自己精神的作品刻成系列版画，但完成的雕刻模型都有一种一致的单调，那些版

面更是如此。也许这些版画会让人感到失望，因为它们过于依赖设计、构图的基本框架和风景中的地形，而忽略了透纳在他最好的作品上投下的"空气的面纱"。

虽然自己出版版画的尝试失败了，但透纳并没有轻视雕刻师在普及其他艺术方面的作用。事实上，这成了他主要活动和收入的来源。但是后来，雕刻师和出版商委托他创作绘画并承担了一定的风险。透纳密切关注着版面的质量，在他的指导下培养出了一批技艺高超的手艺人，和鲁本斯当年所为很像。透纳接受第一个版画的大项目是1811年W. B. 库克（W. B. Cooke）委托出版的一套40幅作品的书，书名为《英格兰南部海岸风景》（*Views of the Southern Coast of England*）。为了收集素材，透纳在7月再次开始了他几乎阔别9年的写生之旅。他在英国西南部的多塞特郡、德文郡、康沃尔郡和萨默塞特郡待了两个月，画了200多张铅笔素描。似乎是在下一次旅行中，他画了一些习

图73作，并在之后根据这些习作创作了《渡溪》（*Crossing the Brook*）。

库克"南方之旅"中的作品并不全是透纳画的，但其中有相当一部分出自透纳之手。透纳从马盖特的海岸开始，绕过普尔，一路画到兰兹角，再远到廷塔杰尔和迈恩黑德。在透纳的监督下，他的画被刻成线条版画，这些版画非常成功地保留了最初构思中的光线和空气效果。出版从1814年开始，一直到1826年才完成。柏林国家美术馆馆长瓦根博士（Dr Waagen）对英国收藏的画作进行了深入的研究，发现了这些版画对传播透纳的艺术风格起到的作用。1835年到达英国后，他就在学院寻找透纳的作品，那些作品的数量非常庞大，其中包括

图142
图155
了《上议院和下议院的火灾，1834年10月16日》（*The Burning of the Houses of Lords and Commons, October 16, 1834*）、《月光下的煤港》

图83
（*Keelmen Heaving in Coals by Moonlight*）和《埃伦布赖特施泰因》（*Ehrenbreitstein*），但在看到这些作品时，瓦根博士却感到十分失望，觉得它们比不上自己仰慕已久的那些版画。

图58 对页上图，《艺术家的工作室》（*The Artist's Studio*），1808年，为1809年的《穷文人的请愿》（*The Garreteer's Petition*）画的习作

图59 对页下图，《威尔斯小屋的厨房，诺克霍尔特》（*The Kitchen of Wells's Cottage, Knockholt*），约1801年，正是在这次拜访的过程中，威尔斯的建议让透纳产生了制作"研究之书"的想法

与库克的合作以分歧告终，出版社给透纳写了一封言辞过激的信，指责他背信弃义。但库克把他买来的版画放在展览上，卖得很好。毫无疑问，透纳对出版商的看法与查尔斯·狄更斯（Charles Dickens）狄更斯对威廉·霍尔曼·亨特（William Holman Hunt）的看法很接近：

"没错，我们鼓励那些为公众娱乐服务的工作者不要把钱投到出版商的口袋里，我们没有那个责任，但我们是一群卑鄙的人，我们想从这不义之财中分一杯羹，为我们自己，为我们的房东，为我们的商人，他们无情地把账单寄给我们，好像我们净给他们添堵似的。"

在英国西部旅行时，透纳拜访了他父亲在巴恩斯特普尔和埃克塞特的一些亲人。除了沿着整个海岸线旅行，他还编写了一份冗长的、押韵的旅行地点记述，将其穿插在他使用的科尔特曼的旅行指南《英国行记》（*The British Itinerary*）中。在展现强烈的爱国情感的同时，透纳写下的这些诗句也体现了他对穷人以及其工作的真诚同情：布里德波特的麻线制造，以及渔夫的妻子，她的丈夫在规定的捕鱼床之外的地方寻找龙虾时被抓捕。

在这一时期，透纳一直在关注自我表达的问题。1807年，他被任命为皇家美术学院的透视学教授，并于1811年开始授课。这门课一共六讲，他的授课方式非常糟糕；雷德格雷夫记录说，每堂课有一半是讲给他身后的助手听的，那个人要为透纳展示他为上课收集的大量图画和图表［完全失聪的托马斯·斯托瑟德（Thomas Stothard）出席这门课只为了看那些画］。虽然透纳的思路有些混乱，但他留下的笔记表明，他广泛阅读了这个课题相关的书籍，并进行了深入思考，对其中精妙复杂的问题有全面的把握，只不过不能很好地向他人传达。在这个过程中，他抓住机会，超越了他课题的技术性，表达了自己对绘画和诗歌的更全面的观点。他在教授"背景"这门课的时候表达了这样的观点，给出了一份风景画的历史概述，并表示了自己对克洛德和其他风景画先驱的热情。

图60 对页上图，《赛文和沃伊交界处》，1811年，被蚀刻成版画，收录进"研究之书"

图61 对页下图，《科克斯托修道院的地下室》（*Crypt of Kirkstall Abbey*），约1812年，选自"研究之书"

图64

在模仿其他大师纯粹的田园作品或印刷作品的主题时，透纳开始创作一种更具个人构想的史诗绘画。1810年，他在自己的画廊里展出了一幅风格不同以往的画作《格里松山的雪崩》（*The Fall of an Avalanche in the Grisons*），戏剧性地表达他对毁灭、突如其来而彻彻底底的灾难日益增长的兴趣。这幅画的场景设置在格里松山，诠释了汤姆森《冬》（*Winter*）中的诗句：

> 时常，从负重累累的崖上轰然滚落，
>
> 雪山，积聚着他们恐怖的滚动，
>
> 从峭壁到峭壁，一路落下雷声，
>
> 冬日的荒原，一片可怕的暴动；
>
> ……夜晚的死寂中，沉睡着的小村，
>
> 淹没在令人窒息的废墟之下。

通过与德·卢泰尔堡（De Loutherbourg）的作品《雪崩》（*Avalanche*）比较，就可以看出透纳作品中的力量和独创性。卢泰尔堡的《雪崩》创作于1803年，也藏于泰特美术馆，它是18世纪传统的优秀延续，威尔森抒情诗的戏剧性表达。透纳在瑞士之旅中画下了真实的地形，通过粗犷的画面，也通过巨大的碎石和山坡上被压倒的小屋之间的大小对比，表现了自然灾害压倒性的力量。庄严感和恐怖感被近乎灰色的低色调颜料强化。

图65

1812年，透纳第一次发表了诗集《希望的谬误》中的诗句，这首诗，或者更可能是一首不完整的诗的片段，将他的悲观情绪表达到了极致。他将这些诗句附在画作《暴风雪：汉尼拔和他的军队越过阿尔卑斯山》（*Snowstorm: Hannibal and his Army Crossing the Alps*）的目录条目中，这幅画一经展出就大受欢迎，通常被认为是透纳艺术发展过程中的一幅关键作品。这些诗句的主题是受挫的野心，诗中，透纳将迦太基帝国崩溃前的日子与英国进行了类比，这是一个在漫长的拿破仑战争阶段就萦绕在他心里的主题。诗句是这样的：

> 诡计、背叛和欺骗——萨拉希人的力量，
>
> 缀在虚弱的后方！劫掠者抓住了胜者和俘虏，

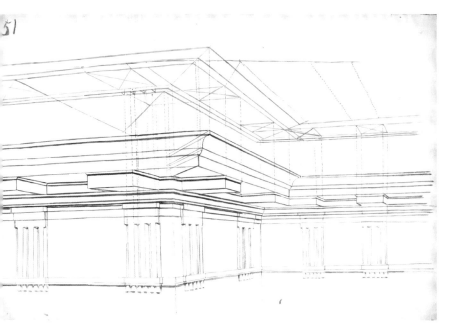

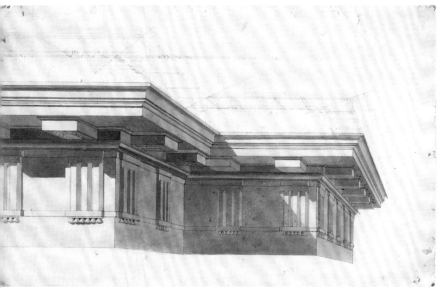

62 上图，《课程用图51：多立克柱式的透视关系》(*Lecture Diagram 51:Perspective Construction of a Doric Entablature*)，透纳绘制的多立克柱式的中楣和飞檐，展现了它们的透视关系，约1810年

63 下图，《多立克柱式的透视研究》(*Perspective Study of a Doric Entablature*)，同样的雕带和檐口，去了辅助线且打上了阴影，约1810年

萨贡托的战利品，

一视同仁，成为他们的猎物；首领仍在前进，
目视太阳，怀抱希望；——低沉，广阔，苍白；
凶悍的弓手，正处下行之年，
暴风雨玷污了意大利的白墙。
人人徒劳地走过，
被死亡和碎石淹没，到处都是毁灭。

他还在坎帕尼亚肥沃的平原上——他想，
但响亮的风在呜咽，"小心卡普阿的欢乐呀！"

**图64** 下图，《格里松山的雪崩》，1810年展出

**图65** 上图，《暴风雪：汉尼拔和他的军队越过阿尔卑斯山》，
1812年由皇家美术学院展出

诗歌标题隐含的威胁和忧郁的意味，在画面内容中得到了充分的证明。约翰·罗伯特·科曾斯曾在他唯一一幅为人所知的油画中处理过这样的主题，透纳说这幅画给他留下了深刻的印象，后来他还阅读了哥尔德斯密斯（Goldsmith）的《罗马史》（*Roman History*）。哥尔德斯密斯着重描写了被阿尔卑斯山激发的汉尼拔（Hannibal）军队的恐惧情绪，以及恶劣天气和敌对山区居民的骚扰造成的可怕损失。透纳在他阴郁而宏伟的画面中融合了所有这些元素：阿尔卑斯山的威胁、风暴的肆虐、土著掠夺者们（前景中争抢一个被俘女子和战利品的人群），作为主题的军队站在高处俯瞰下面的山谷，透纳还在画面中加上了他一两年前在约克郡谷地观察到的风暴的旋涡效应。对科曾斯画作长久以来的思考，在瑞士阿尔卑斯山和约克郡的雷雨中对大自然的原始观察，加上透纳个人对政治的理解和担忧，在这部具有不可思议力量的作品中结合在一起。透纳又一次创作出了具有独创性的灾难画，正如《埃及的第五个灾难》一样。

图30

图66 上图，《雾晨》（*Frosty Morning*），1813年展出

他从哥尔德斯密斯对迦太基帝国的描述中找到了布匿战争（古罗马和古迦太基之间的三次战争）同当时英国国情之间相似性的证据：

> 迦太基的主要优势在于船队和商业：它通过这些积累了巨大的财富；仅靠金钱，市民们就可以雇佣和派遣军队去征服他们的邻国，或是让邻国服从自己的支配。然而，由于他们长期拥有财富，国家开始感到财富太容易滋生罪恶。

在他后期描绘迦太基帝国的画作中，他把这种威胁的感觉和对《埃涅阿斯纪》的热情结合了起来。

图66

在1811年与出版商约翰·布里顿（John Britton）的通信中，透纳曾抗议亨利·富泽利将风景画家说成"做地图的，艺术中的地形学者"。1813年他最成功地展出作品《雾晨》就是对这种说法的坚决抗议。基于在约克郡旅行的一次经历〔那次旅途中他画下了素描《在途中》（*en route*）〕，这幅画通过人们的行动描绘了一个寒冷而晴朗的日子刚开始时的场景：搭篱笆的人、挖水渠的人在田野里干活，仍亮着灯的驿站马车缓缓驶近。画面中的两匹马都是以他最喜欢的一匹马为原型的，而瑟瑟发抖的小女孩据说很像他的私生女埃维莉娜。在这幅画的标题下方，透纳引用了一段汤姆森《四季》中的诗句："坚硬的白霜在他的光束前融化"。他用一双敏锐的眼睛和敏感的直觉描绘了色彩的变化，画出了阴影中覆盖着白霜的地面和开始融化的棕色泥土。太阳升起来了，但仍没有穿透薄雾，人像清晰的剪影增强了冬天的效果，光秃秃的树木和前景中覆盖着雾凇的杂草也是如此。

约克郡之旅对这一时期的透纳而言是绝佳的慰藉。1808年，透纳在旅途中第一次拜访了福克斯位于法恩利庄园的家，两人一见如故、惺惺相惜。在这里，福克斯一家待透纳如亲人，而透纳对福克斯的激进政治也深有共鸣。他去谷地打猎，将自己从伦敦的压力中解放出来。同一时期，透纳与莎拉·丹比的关系似乎也终止了，但透纳以惯有的神秘感成功遮掩了所有线索，因此我们无法得知事实是否真是如此。

针对1813年的展览，批评家和公众都更青睐透纳的英国风景画，而非他宏大的文字，《雾晨》向来被视作他成就的巅峰之一。当时对《雾晨》的评价，从约翰·费希尔（John Fisher）写给康斯太布尔的信件中可以看出：他在信中赞扬了友人透纳的画作，但又说他像被霜打了，和拿破仑一样。同年，康斯太布尔在皇家美术学院的一次晚宴上见到了透纳，当时他就坐在透纳旁边。两位风景画家之间的关系一定维持着微妙的平衡，并非总是风平浪静，但这次会面很成功，据康斯太布尔所言，"透纳和我相处得非常愉快，我一直希望自己能遇见他，他举止并不得体，但思想非常开阔"。两人的会面或许也不免尴尬，因为拥护康斯太布尔作品的博蒙特爵士一直致力于批评透纳的作品。据法灵顿的日记记载，爵士的猛烈批评在这个时候达到了高潮。画家奥古斯都·考尔科特（Augustus Callcott）是透纳的朋友，也是透纳的崇拜者，当时正在画坛崭露头角，却拒绝参加1813年的展览，这是因为博蒙特和他的朋友滥用了考尔科特的作品，导致他1812年没能卖出一幅画作。透纳非常谨慎地管理自己早年成功带来的财富，避免了这样的财务灾难，但他展览的销售额似乎确实大幅下降。他对批评也实在太过敏感。

在职业生涯的第二个十年间，透纳对其他具有挑战性的人才的出现更加警觉。威尔基此前挑战了透纳的《乡村铁匠为蹄铁的价格争吵，屠夫小马蹄铁的价格》，之后又在该体裁领域进一步确立了自己至高无上的地位。而在威尔基之后，爱德华·伯德（Edward Bird）同样获得了极高的赞誉。这两位艺术家在1812年都受到了公众的高度关注，《暴风雪：汉尼拔和他的军队越过阿尔卑斯山》并不是当年浪漫主义作品中唯一的巅峰。富泽利展出了素描作品《拿着匕首的麦克白夫人》(Lady Macbeth with the Daggers)。同一场展览上，约翰·马丁展出了作品《萨达克寻找遗忘之水》(Sadak Searching for the Waters of Oblivion)，马丁从透纳的史诗作品中吸取了经验，并试图超越透纳，进一步呈现出具有异国情调的痛苦。

自1800年《埃及的第五个灾难》模仿普桑创作以来，透纳对历史主题的处理不断深化。通过1802年的《埃及的第十个灾难》和1805年的《索多玛的毁灭》(The Destruction of Sodom)，他对灾难进行了一系列戏剧性的、激动人心的研究。《暴风雪：汉尼拔和他的

图45

图67 对页图，透纳最爱的迦太基主题的习作，与《迦太基帝国的衰落》(*The Decline of Carthaginian*) 相关，1816年

图68 上图，《狄多建设迦太基》或《迦太基帝国的崛起》，1815年

图69 下图，克洛德·洛兰《示巴女王登舟》(*Seaport with the Embarkation of the Queen of Sheba*)，1648年

图70 下页跨页图，《迦太基帝国的衰落》，1817年展出

军队越过阿尔卑斯山》之所以能有杰出的成就，是因为他将自己的焦虑情绪与亲眼看见的狂野山景和风暴相结合。这种个人情绪也被带

图68
图70

入迦太基的场景中，尤其是在1815年的不朽名作《狄多建设迦太基》和1817年的《迦太基帝国的衰落》。他对《狄多建设迦太基》倾注的抱负是，如果能将这幅画悬挂在克洛德的作品《海港》和《磨坊》（The Mill）之间，他就将这幅画留给国家。

透纳将《狄多建设迦太基》视作自己的杰作，这幅画创作于透纳开始模仿、再阐释克洛德的作品，并画出了《寻找阿普勒斯的阿

图71
图72

普利亚》之后的一年。《寻找阿普勒斯的阿普利亚》是在克洛德的风景画《雅各布、拉班和他的女儿们的风景》（Landscape with Jacob and Laban and Laban's Daughters）的基础上创作出来的，刻意展现了画面的风景。他将这幅画投给了一个比赛，比赛要竞选出主题和方式与克洛德或普桑作品风格接近的最佳风景画，由英国艺术家协会主办。由于博蒙特爵士是评委之一，透纳这么做显然是想戏弄自己的对手，他尽可能地模仿自己最尊敬的艺术家，同时也不牺牲自己的独创性。这幅画并没有摘得桂冠，奖金颁给了明显技不如人的画家T. C. 霍夫兰德（T. C. Hofland），这成功证明人们对透纳确实存在偏见。有趣的是，康斯太布尔在最后一次风景画授课上记录下了博蒙特爵士的一句评论，可能正是针对透纳的这幅画："乔治·博蒙特爵士看到了一幅现代艺术家模仿克洛德风格的巨幅画，他说道：'要不是这幅画把克洛德·洛兰的所有缺点都集中在了画布上，我永远也不能相信他有这么多缺点。'"次年，博蒙特对透纳大受欢迎的两幅作品

图73

《狄多建设迦太基》和《渡溪》的评价，足够证明他有勇气把自己对透纳的批判贯彻到底。他绝不改变自己的看法，认为透纳对绘画有一种"错误的品位"。

然而，博蒙特的批评逐渐越界，在1815年出版的一本匿名的小册子中，有人对博蒙特及与他同为英国艺术家协会理事的霍尔韦尔·卡尔（Holwell Carr）和佩恩·奈特进行了猛烈的反击。小册子作者至今尚不知晓是谁，但显然是亲近透纳的人士。文章主要是在抱怨早期绘画大师的业余爱好者，说他们垄断了艺术品位，打击真正的现代原创，支持对旧时风格的模仿。艺术家常常对赞助人这么抱怨，博蒙特有理由宣称他自有判断，但他错就错在断言透纳的油画作品只是透纳将自

图71 上图，《寻找阿普勒斯的阿普利亚》，1814年展出

图72 下图，克洛德·洛兰《雅各布、拉班和他的女儿们》，1654年

己的水彩画风格不恰当地转换成了油画，奇怪的是，康斯太布尔竟然附和起了博蒙特的言论，特别提出了这种技术上的批评。透纳第一次写作油画创作的论文时，就提出自己从另一种绘画方式中吸取了经验，但他对两种不同的能力和技术都有着深刻的思考。

　　不久之后，公众或许就对此事有了自己的判断。莱斯特爵士于1818年率先开设了自己的画廊，其中展出了一组非常重要的透纳的作品，包括他为泰伯利庄园创作的风景画《铁匠铺》（*A Blacksmith's Shop*）和《薄雾中的日出：贩卖鱼货的渔夫》。次年，福克斯先生邀请公众参观他的水彩画收藏，同样也都是英国当代艺术家的作品，透纳的画作占大多数：在85至90幅作品中，有60至65幅是透纳的作品。福克斯自1803年起就是透纳的赞助人，在画展之前，他包下了透纳最新系列的水彩画，共计50幅作品。这些作品是透纳根据自己1817年的莱茵河之旅创作的，这是他自1802年第一次游历法国和瑞士后第二次出境旅游。

　　莱斯特的展览中没有包含透纳1809年以后的作品，但福克斯展出的水彩画时间跨度相当大，从他1804年买下的透纳在瑞士之旅中创作的作品，一直到1817年莱茵河之旅中的最新作品，这之间还有许多英国的风景画，主要是法恩利庄园附近沃夫河谷和约克郡的风光。从这些作品中明显可以看出，透纳已经在很大程度上从18世纪拘谨的水彩画中解放了出来。约克郡的风景，如博尔顿修道院（Bolton Abbey）的景色，被温暖的阳光笼罩，植被沐浴在光线中，透出一种橄榄和蜂蜜般的色调。莱茵河风光呈现出色调的统一，这是因为在白纸上涂抹了灰色，透纳对空中透视尺度的把握也全然展现出来，画面的主要内容都是空气效果。

　　福克斯还买下了透纳最受好评的海景作品：《多特或多特勒克：从鹿特丹驶出的多特定期船》（*Dort or Dortrecht: The Dort Packet-boat from Rotterdam Becalmed*），这幅画于1818年由皇家美术学院展出。在法恩利庄园中，我们能最直接地看到透纳绘画水彩画时的迅速与果断，由于他一贯对自己的手法讳莫如深，这无疑非常有价值。福克斯的大儿子霍克斯沃思·福克斯（Hawksworth Fawkes）常常回忆起当年的事情，他的侄子记录了这一切：

图53

图74

图73 上图，《渡溪》，1815年由皇家美术学院展出

透纳常待在法恩利庄园的那段日子，所有的孩子都说……他们从来没见过透纳画画，只有一次例外。一天早晨，吃早餐的时候，沃尔特·福克斯对他说："我想让你帮我画一张普通尺寸的画，让我大致了解一个士兵的体型。"这

激发了透纳的想象力，他咯咯笑着对沃尔特·福克斯15岁的大儿子说："小霍基（对霍克斯沃思的爱称），跟我来，我们看看能为爸爸做些什么。"15岁的少年于是整个早上都坐在透纳身边，见证了《粮食备足的一等舰》(First Rate Taking in Stores) 的创作过程。他描述了透纳超凡脱俗的创作手法：他将湿淋淋的颜料泼上画纸，直到画纸完全湿透，他撕扯、乱刮，将画纸揉作一团，像是在大发脾气，把一切都弄得乱七八糟。但渐渐地，就好像他施展了什么魔法一样，那艘可爱的船和上面所有细致入微的细节全都跃然纸上了，到了午餐时间，那幅画被成功地从画板上拆卸下来。这些细节我听叔叔讲了好多次……

**图75**

图74 下图，《多特或多特勒克：从鹿特丹驶出的多特定期船》，1818年

图75 对页上图，《粮食备足的一等舰》，1818年

图76 对页下图，《柯比朗斯代尔墓地》(Kirkby Lonsdale Churchyard)，约1818年

图77 上图，野草习作，选自透纳在泰晤士河上使用的速写簿，1815—1817年

图78 对页图，《莱辛巴赫瀑布上方：彩虹》（*Upper Fall of the Reichenbach: Rainbow*），1810年

早些时候，也有人描述透纳"用他像鹰爪一样的指甲撕扯海面"的场景，看来这种技巧的确属实，让我们聚焦透纳神奇的视觉记忆、快速决策能力、他在绘画过程中实际消耗的体力，以及他创造力迸发的速度。这段插曲与他在皇家美术学院画展开幕前公开展示的一次经历形成了很好的呼应，当时他面对一块明显带有轻微污渍的画布，结果迅速完成了画作。我们可以从他个人作品表现出的能量感，以及他描绘的广泛题材中，窥见他的顾影自怜、落空的希望和《希望的谬误》中体现出的政治悲观主义。毫无疑问，他对生活有一种悲剧性的感受，这种感受随着年龄的增长加深，但在绘画中过于聚精会神、果断决绝而耗尽精力之后，他的写作就开始反抗这种感受。

从霍克斯沃思·福克斯的描述中可以看出，透纳总是对水彩画技法潜在的拓展性保持警觉。早在1817年，他就已经利用这一点创作了一些作品，画作中，天空由湿纸上的彩色色块组成，他还随心所欲地使用了指纹。这些都是十年乃至二十年后"色彩的开端"（Colour Beginnings）的预期，或说此时"色彩的开端"已初见端倪。

**图79** 上图，北望英军在滑铁卢和拉海圣（La Haye Sainte）部署情况的图示，选自1817年透纳在莱茵河之旅中使用的速写簿

**图80** 下图，《斯卡布罗南岸：骑着黑马的男子踏着潮湿沙地上的海浪》（*In the South Bay, Scarborough: A Man Riding a Dark Horse into Low Waves on Wet Sand*），与图79选自同一本速写簿，1816—1818年

图81 顶部图，《修复后的朱庇特神庙》（*The Temple of Jupiter Panellenius Restored*），1816年，基于H. 盖利·奈特（H. Gaily Knight）的草稿完成

图82 左上图，《远处有小屋和树木的桥》（*A Bridge with a Cottage and Trees Beyond*），绘于德文郡的11幅油画速写中的一幅，1813年

图83 右上图，《埃伦布赖特施泰因》，1817年

水彩画的整体效果呈现出一种不拘小节的构图方式，既巧妙又具有独创性。透纳很想通过这些画作实现自己的抱负，但他却很少运用自己从普桑和克洛德那里学到的东西，更不用说模仿他们。我们看到，同一时期，在前后15年的时间里，透纳的油画创作更依赖昔日的画家，比如普桑的灾难画，比如维尔德或克伊普（Cuyp）的海景画，又比如克洛德的迦太基题材。但其中有一组地形油画独具创意，它们描绘的是城堡或乡村住宅，包括1809年的《温莎》（*Windsor*）、1810年的《佩特沃思》（*Petworth*）、1811年的《萨默希尔》（*Somerhill*）和1818年的《雷比城堡》（*Raby Castle*）。这些作品的中心主题是令人印象深刻的建筑，但其呈现方式会让人以为画作的主题是空气与薄雾的面纱。还有其他两幅作品特别突出：《渡溪》成功将克洛德的构图结构与一种不同寻常的棕绿色调以及德文郡的实地风景相结合；《英格兰：里奇蒙山，亲王的生日》（*England: Richmond Hill, on the Prince Regent's Birthday*）是透纳的巨作之一，它更直接地展现了克洛德的风格，但其生动活泼的人物形象无疑是取材自泰晤士河谷，不枉透纳在这一题材上投注的心血。

图85

图73
图86

34 对页图，色彩速写，可能是伦敦桥附近的风景，约1820年

35 上图，《雷比城堡，达灵顿伯爵住处》（*Raby Castle, the Seat of the Earl of Darlington*），1817年

36 下图，《英格兰：里奇蒙山，亲王的生日》，1819年展出

**图87** 上图，《从里奇蒙山远眺泰晤士河》(*The Thames from Richmond Hill*)，1825—1836年，被芬伯格收录进"色彩的开端"，可能是《英格兰：里奇蒙山，亲王的生日》一作的彩色草稿

图66　　　　在《雾晨》《渡溪》和《英格兰：里奇蒙山，亲王的生日》之中，都蕴藏着一种受主题启发的情感。《渡溪》展出后《英格兰：里奇蒙山，亲王的生日》展出前，威廉·黑兹利特（William Hazlitt）对透纳的作品发表了评论，说他的画"除了画得像以外一无是处"。这样的评论震惊了下一代人，因为它预见了透纳最后的作品，但似乎与他1816年前后的创作无甚关联。这个短语的前一个句子倒是值得一看："然而，这些画包含了太多抽象的空中透视，不能恰当地通过画中的事物展现人们真实所见的自然对象。"面对短时间内创作的大量作品，比如描绘莱茵河风景的水彩画，评论家可能会觉得艺术家只是在摆弄场景中的元素，而不是深入地描绘画面中的地点。这一系列的场景被认为是对景物要素的抽象处理，其中并不包含深厚的情感，但《英格兰：里奇蒙山，亲王的生日》并非如此。1819年，在透纳第一次动身前往意大利之前，他通过这幅画，恰到好处地向皇家美术学院展现了自己对祖国无忧无虑的热爱。

# 第四章

# 意大利："无与伦比的色彩之纱"

　　1819年，透纳44岁，他的意大利之行经历了漫长的准备。最初产生这样的想法，是在门罗医生家中临摹约翰·罗伯特·科曾斯的画作的时候，后来随着他对普桑和克洛德作品的兴趣不断发展，这一念头也不断壮大。1802年他第一次去欧洲大陆时，最远走到了瑞士的阿尔卑斯山，但当时还没有越过边境进入意大利。待在祖国的那些年里，他向南去往意大利的心愿越来越强烈。1817年，他踏上了莱茵河之旅，这对他连续两年推迟的意大利之旅而言是一种安慰。1818年，透纳接到了创作意大利风景水彩画的委托，根据詹姆斯·黑克威尔（James Hakewill）在明箱（camera lucida，一种比摄影更古老的描像器）的帮助下创作的素描，画一幅题为《意大利观景之旅》（*Picturesque Tour of Italy*）的作品。透纳的作品在莱斯特和福克斯举办的展览上大获成功，与出版商的交往也相对放松起来，于是他受到了鼓励，准备动身。与此同时，托马斯·劳伦斯（Thomas Lawrence）正在罗马为教宗庇护七世（Pius VII）创作要悬挂在温莎城堡滑铁卢厅的肖像，这对透纳来说也很吸引人。劳伦斯给法灵顿写信，催促透纳去旅行："透纳应该来罗马……这里的空气中有一种微妙的和谐感，将一切包裹在乳白色的甜蜜中……据我所知，这样的景色只能通过他美妙的色调来描绘。"他补充说，看到这个国家，他总是想起透纳的画，想到克洛德的情况很少，想到加斯帕尔·普桑（Gaspard Poussin）的时候就更少了。到了8月，透纳就踏上了旅途。

　　透纳追求的不仅仅是风景、如画理论、田园风光或是崇高的主题，这些他已经在艺术中领悟来了，他还在寻找历史，追寻意大利的过去

图88 上图,《都灵主教座堂》(*The Duomo, Turin*),选自1819年第一次意大利之旅中使用的速写簿

图89 下图,《从安科纳的道路远眺奥西莫,市政厅的塔楼和大教堂》(*Osimo from the Road from Ancona, with the Towers of the Palazzo Comunale and Cathedral*),1819年

图90 对页图,《君士坦丁拱门与罗马斗兽场》(*The Arch of Constantine and the Colosseum, Rome*),1819年,选自1819年第一次意大利之旅中使用的速写簿

和意大利大师的画作。从他接下来的画作中可以明显看出意大利的城市对他产生了深远的影响。最重要的是，劳伦斯所言的意大利之光，那种"将一切包裹在乳白色的甜蜜中"的空气，给他的艺术注入了新的力量。

图88

透纳经由塞尼山口（Mont Cenis）进入意大利，在参观了都灵、科莫湖和米兰之后，威尼斯之旅给他留下了深刻的印象，接着，他借道博洛尼亚和福利尼奥去了罗马。在速写簿中，他详细记录了山的颜色和橄榄园的色彩，"地面是透着红的灰绿色，接近紫色，海面很蓝，阳光下浮着一层暖色的雾气，天蓝色调和了橄榄树的深色调，但阴影中树叶的光影灰蒙蒙的，或者说阴影从整体上看呈灰色"。在洛雷托，透纳在速写簿中记下了一幅画，"第一次见到克洛德"。接着，十月中

图90～
图91

旬，他抵达罗马。这座城市里到处都是来自世界各地的旅行者，多亏了他们的存在，我们才能拥有更多关于透纳的个人信息。维苏威火山（Vesuvius）的爆发称得上及时，透纳离开了罗马，去亲眼看见一场令他津津乐道的奇观。在那不勒斯，索恩家的儿子看见他"画了很多令人惊叹的时髦事物的铅笔速写"，并注意到他的评论，"在户外上色会占用太多时间，画一幅彩色作品的时间够他画十五六幅铅笔速写了"。当然，他需要尽可能地抓紧时间，在大约两个月的时间里，透纳在罗

马及其周边地区画了近1500幅铅笔速写，他那一如既往的、梦幻般的视觉记忆，以及上文引用的速写簿中对色彩的细致分析，都能让他进一步完善这些简单的速写。

为满足历史学家们得出明确结论的愿望，我们不妨下一个结论，那就是意大利之旅对透纳的艺术生涯而言，毫无疑问是一个至关重要的转折点。这次旅行正发生在他职业生涯的中点，他的自信心正如日中天。这时已有迹象表明，透纳对纯粹的色彩更感兴趣，他的作品从色调的对比中解放出来，尤其是从1817年莱茵河之旅后卖给福克斯的那些水彩画中解放出来。从意大利归来后，他并没有彻底与过去决裂，比如1827年的《鲁斯达尔港》（*Port Ruysdael*），还有以罗马为题材的水彩画，都还是以他早期的风格构思。但他的目标变得清晰，在后半段的职业生涯中，他在描绘光线的色彩方面取得了令人瞩目的进步。透纳本性的其他方面也慢慢突显出来，变得更加尖锐。他一向主张艺术家拥有完全自由和行使自己判断的权力，但在实践中有时会根据赞助人的需求改变自己的风格。现在，透纳的创作分类更加明确：通俗的画作送去做成版画，让收入保持在令人满意的水平；展出的画作则

1 对页图，《罗马平原，萨拉里奥桥和台伯河与阿尼涅河的交汇处》（*The Roman Campagna, with Ponte Salario and the Confluence of the Tiber and Aniene Rivers*），1819年

2 上图，《塞尼山的暴风雪》（*Snowstorm, Mont Cenis*），1820年

3 下图，《从梵蒂冈远眺罗马》（*Rome from the Vatican. Raffaelle, Accompanied by La Fornarina, Preparing his Pictures for the Decoration of the Loggia*），1820年展出

在一定程度上试图安抚公众的愤怒情绪。这些活动让他得以自由、独立地追求真正的目标，追求一种熊熊燃烧的独创精神。

在佛罗伦萨过完圣诞节之后，透纳于次年1月启程返回英国。塞尼山大雪封山，但他还是凭借自己特有的勇敢，和其他旅客一起坐上了一辆马车，准备穿越塞尼山。到了山顶上，这辆马车翻倒了，他们不得不步行下山。之后，透纳为福克斯创作了这个场景的水彩画。随后不久，他第一次向公众表明了意大利之行给他带来的兴奋：1820年5月，他将《从梵蒂冈远眺罗马》送到了皇家美术学院。

**图93**　　这幅不太受欢迎的画作全名为《从梵蒂冈远眺罗马，拉斐尔与弗娜瑞娜，筹备装饰长廊的画作》，描绘了从拉斐尔的长廊可以看到

**图94** 下图，《斯卡布罗》（*Scarborough*），约1825年，刻成了版画作品《英国海港》（*Ports of England*），透纳完成的水彩画会被精细地刻成版画或送去展览，这是一个典型的例子

**图95** 对页上图，《从塔瑟姆教堂远眺霍恩比城堡，兰开夏郡》（*Hornby Castle, Lancashire, from Tatham Church*），约1818年

**图96** 对页下图，《马盖特》（*Margate*），约1822年

的罗马城的全景，一直到远处的群山。在长廊中，人们漫不经心地移动着梵蒂冈储藏室里的东西。被移动的画作不仅有拉斐尔的《椅中圣母》（*Madonna della Sedia*），还莫名其妙地有一幅克洛德的风景画，拉斐尔与他的情妇正在重新整理这些画作。这种对前人艺术的致敬令人动容，也具有吸引力，但很难强有力地反驳当时人们对这幅画的谴责，因为在这幅画中，透纳犯了一个他在授课时批评过的一个错误，那就是叙事行为不符合建筑和景观背景。但对群体人物的处理，哪怕对透纳而言，都是很有独创性的。他不仅针对这一课题在透视方面做了大量练习（此时他仍是透视课的教师），还以一种不同寻常的、直接的方式，将注意力集中在曲线的对位上，尤其是与贝尔尼尼（Bernini）的椭圆柱廊相对的雕像上方的拱门。

次年，透纳没有往皇家美术学院递送任何作品，部分是因为这幅画的接受度实在不高，部分是因为他要在安妮女王街（Queen Ann Street）重建自己的住宅。

在之后的一段时间里，透纳的展览作品大大减少：1822年和1823年各有一幅，1824年没有，1825年有两幅。接着，他又回到了稳定的平均水平——每年4至5幅。在消遣和雕刻工作之余，透纳似乎感到有必要进一步吸收在意大利获取的经验，这样他才能更好地展览自己的作品。他在私下里完成真正的工作，与此同时还以另一种方式出现在公众视野中。透纳在伦敦新建的画廊于1822年开放，尽管它不如韦斯特、约翰·格洛弗（John Glover，英国画家，后移居澳大利亚，被誉为"澳大利亚风景画之父"）、马丁等人的作品展览那样引人注目。同年早些时候，雕刻家W. B. 库克为售卖作品举办了一场绘画展览，其中有一组就是透纳为出版创作的作品。这一组作品非常成功，于是透纳在1823年和1824年也如法炮制，但在这之后，库克陷入了财政困境，透纳随之与他决裂。

第一次意大利之行让透纳迫切地想去第二次，但他第二次去往意

图97 对页上图，《爱丁堡议会大厦的教长宴会上的乔治四世》（*George IV at the Provost's Banquet in the Parliament House, Edinburgh*），约1822年

图98 对页下图，《海运或林荫道，还有远处的防御工事》（*Shipping or Avenue of Trees, with Fortification in the Distance*），选自1822—1823年间的一本速写簿

图99 对页上图，《福伊港口入口，康沃尔郡》(*Entrance to Fowey Harbour, Cornwall*)，约1827年

图100 对页下图，《峭壁上的城堡残垣与落日》(*Sunset over a Ruined Castle on a Cliff*)，1835—1839年

图101 上图，《旅途：落日：回顾》(*Tours: Sunset: Looking Backwards*)，1826—1830年

大利已是9年后。在这期间，他仍然有过不少短途旅行。到法恩利庄园拜访对透纳而言都是娱乐，最后一次去是1824年，其他旅行都和委托相关。1822年，他追随乔治四世（George IV）的脚步前往苏格兰，在那里，乔治四世代表皇室，对爱丁堡进行了历史性的访问。当时，威尔基作为官方画师待在苏格兰，他看到对手出现，感到大为震惊。透纳在这次旅途中为系列雕刻作品"英格兰河流"（Rivers of England）打好了草稿，但他最值得纪念的成就还是油画作品《爱丁堡议会大厦的教长宴会上的乔治四世》，但他从未展出这幅作品。这幅画是挤满人物、点着蜡烛的室内空间的试验性作品，为之后他创作佩特沃思和东考斯城堡的室内场景指明了道路。1825年夏天，他到荷兰、比利时

图97

117

和德国北部旅游，1826年，他又到法国、德国去探索默兹河和摩泽尔河的河道。

这些各种各样的经历，再加上透纳已经形成的观念、创作的大量速写，给他19世纪20年代的作品带来了不同寻常的变化。自1820年展出了《从梵蒂冈远眺罗马》之后，他凭借意大利之旅的经验，又两次创作了同样的主题。1823年展出的《贝亚湾，阿波罗与女先知》是完完全全模仿克洛德的风格创作的，但其中沉静的蓝色和绿色与透纳喜爱的地中海阳光中的暖色结合在了一起。康斯太布尔评价道："透纳的才能真是太疯狂了。这幅画像是用橙黄色和靛蓝色画出来的。"在主题方面，透纳回归了1800年之前模仿威尔逊创作的第一幅经典之作《阿佛纳斯湖畔——埃涅阿斯与西比尔》，而构图上则回到了1803年的《梅肯葡萄酒节的开幕》与1814年的《寻找阿普勒斯的阿普利亚》，把树作为划分远近景的主体。1826年的《古罗马广场》（*Forum Romanum*）中，他将一片如画般的废墟作为主题，重回1802年的《埃及的第十个灾难》和1805年的《索多玛的毁灭》。

图102

图28

图71

图32

图102 下图，《贝亚湾，阿波罗与女先知》，1823年展出
图103 对页图，《摩特雷克平台》（*Mortlake Terrace*），1827年

通过1825年展出的《迪耶普》(*Dieppe*)和1826年展出的《科隆》(*Cologne*)这两幅大型港口地形绘画，透纳熟悉了一套不同以往的地形绘画方法。这两幅画规模相同，目前均陈列在纽约的弗里克收藏馆中，可以视二者为一对姊妹作。两幅画都沉浸在高调的金色光芒之中，部分是因为它们似乎是在蛋彩画的基础上绘制的，透纳曾非常急切地叮嘱过，不要把两幅画弄湿。这两幅画与1818年大获成功的

图74　《多特或多特勒克：从鹿特丹驶出的多特定期船》一样，描绘的都是北方港口的宏大场景，但在这一时期，透纳能将英国的风景与自己的油画创作更好地结合。还有其他一些画幅更小的类似创作，包括《威

图103　廉・莫法特的宅邸》(*William Moffatt's house*)和《摩特雷克平台》的两幅小画，分别展出于1826年和1827年。这样的主题很吸引透纳：一片草坪、一座房屋，鸟瞰泰晤士河，离他自己的住宅还很近。第一幅作品画的是清晨，视野朝向太阳，阳光在草坪上投下长长的影子，

图66　湿气正在蒸发——和《雾晨》一样。当他在夏夜的微光中，为来年

图104

的展览画下这幢建筑时，他没有用和后来几个时代的画家相同的角度作画。他将画架转过一个角度，又一次面向太阳创作。

　　或许是因为透纳对乔治四世访问苏格兰一事产生了兴趣，他在1823年接到了一项委托，创作一幅画幅更大的《托拉法加的海战》，不同于更早的现藏于泰特博物馆的版本，这一幅目前悬挂在格林威治的英国国家海事博物馆。在创作过程中，透纳表现出了自己的爱国主义精神和对海洋的热爱，但这项任务本身十分艰巨，因为他要应付海员们对他的各种批评——他们都希望保证历史的准确性，事实上，透纳并没有完全满足他们的要求。或许是因为这幅画在宫廷中不被接受的记忆久久萦绕不去，也或许是透纳自身在社交方面能力不足，透纳这一次最为明显地遭到了公众的拒绝。威尔基被威廉四世（William IV）封为骑士，他的朋友奥古斯都·考尔科特也被维多利亚女王封为了骑士。这种不公平的区别待遇体现了公众对透纳的轻视。

　　当然，在那些年里，他也有机会听到王室的消息，因为在1827年，他去了东考斯城堡，与当时深受国王宠信的约翰·纳什（John

图107 上图，《东考斯城堡，约翰·纳什先生宅邸，迎风而上的赛船会》(*East Cowes Castle, the Seat of J. Nash, Esq., the Regatta Beating to Windward*)，1828年，为建筑师约翰·纳什创作

Nash，英国建筑家）住在一起，于是将他在布赖顿宫的工作转移到了白金汉宫的重建工作。透纳在这里待了相当长的一段时间，在4本速写簿中画满了索伦特地区游艇比赛的景象和当地的风光。更不同寻常的是，他让父亲寄来了两幅卷起的画布，每块画布的尺寸约11.2米。在这些画布上，他画了9幅油画写生，描绘了考斯的航运、8月举行的赛船会，以及一艘军舰甲板内部的场景。这些生动的速写为他1828年在皇家美术学院展出的两幅画提供了素材：《东考斯城堡，约翰·纳什先生宅邸，迎风而上的赛船会》以及《东考斯城堡：赛船会，向停船处进发》(*East Cowes Castle, The Regatta Starting for their Moorings*)。《东考斯城堡：赛船会，向停船处进发》现藏于维多利亚与艾尔伯特博物馆的希普尚克斯收藏馆（Sheepshanks Collection），

图105
图107

是透纳中年时期较为平衡和谐的油画之一。或许是因为他长期近乎悠闲地待在这个地方，浸淫在当地的空气中，也取材到了当地最主要的事件。他那敏锐的双眼、对大气的感知和对航运的了解都在画面中得到了呈现，也不像当时的《迪耶普》和《科隆》一样古怪而令人不安。这一次，画面的视角仍然直接面向太阳，水面反射着阳光。但这幅画的背景描绘得并不充分，随着着色层数的增加，太阳和反射的阳光的亮度也额外地提升，造成了永久脱落的可能。透纳还将自己在考斯创作的另两幅作品送去了1828年的另外两个展览，以迦太基为主题的《狄多指挥舰队装备》（*Dido Directing the Equipment of the Fleet*）和《薄伽丘讲述鸟笼的故事》（*Boccaccio Relating the Tale of the Bird-cage*）。后者以纳什的仿哥特式建筑为舞台，模仿了斯托瑟德和安东万·华托（Antoine Watteau）的风格。

图110

**图108** 下图，《大房子的室内场景：东考斯城堡的画室》（*Interior of a Great House: The Drawing Room, East Cowes Castle*），约1830年

125

**图111** 上图，《伦勃朗的女儿》（*Rembrandt's Daughter*），1827年

考斯城堡中花园和室内举办的聚会激发了透纳绘制盈满光线的室内场景的欲望：烛光中的音乐会，更加梦幻的室内场景，阳光透过拱形的窗户，让人眼花缭乱，几乎将房间里的家具打碎一地，光线似乎又一次指向了室内的钢琴。

这些年来，透纳的兴趣似乎又大大增多。1802年，我们在卢浮宫里看到，他发现伦勃朗"画得很糟糕，表现力很差"，之后不久他为佩恩·奈特创作了《未付的账单，或责备儿子挥霍无度的牙医》，作为伦勃朗作品的姊妹作。但现在，他开始严肃地看待伦勃朗的作品。在风景画的课堂上，他再次指出，伦勃朗的作品形式本质上令人反感，但又补充说："他在每一个人的身上都罩上了一层无与伦比的色彩之纱，那是曙光破晓时自云间绽放的色彩，是完全能迷住我们双眼的露水般的光线，仿佛为寻找画中的形体而去刺穿那层神秘的色彩的外壳是一种亵渎。"透纳由此进一步巩固了自己对色彩在绘画中的作用的关注，并于1827年展出了《伦勃朗的女儿》，这幅画被福克斯的儿子买下，收录进了法恩利庄园的收藏；1830年，他如法炮制，创作了《彼拉多洗手》（*Pilate Washing his Hands*）。

图111

意大利之旅之后的9年间，各式各样的题材和风格体现了透纳思想的发酵，他的问题从不单一。同时，他也忙于雕刻，创作了"英格兰河流"系列和"英格兰和威尔士的旖旎风光"（Picturesque Views in England and Wales）。1828年，他开始为塞缪尔·罗杰斯（Samuel Rogers）的诗歌《意大利》（*Italy*）创作水彩版画插图，这成了他最成功的图书。之后，这些地方似乎再也不能满足透纳的需求，他于8月再次启程前往罗马。这一次，他明确表示自己要完整地画出参展的作品，于是他请伊斯特莱克（Eastlake）为他搭建一个工作室，他写信给伊斯特莱克说："把所有你认为必要的东西都准备好，然后告诉我，多准备些有用的东西，不要装饰，别管那些华而不实的东西。"他素来一切从简，在这种条件下，他准备开展自己的工作，其中包括画给埃格雷蒙特伯爵的克洛德作品的姊妹作。他已经在旅途中走了两个月，天气十分炎热，但最终还是于10月中旬在人民广场（Piazza Mignanelli）安顿了下来。

和第一次意大利之旅时一样，透纳在这里更频繁出现在公众视野中，也更容易接近，因此他的生活有人耳闻。同住的伊斯特莱克记录

图112 跨页图，《奥尔维耶托风光》（*View of Orvieto*），1828年绘于罗马，1830年重新加工

图113 上图，《尤利西斯嘲弄波吕斐摩斯》（*Ulysses Deriding Polyphemus*），1829年

图114 对页图，《尤利西斯嘲弄波吕斐摩斯》的草稿，1827—1828年

了他用涂了漆的绳子来框画布的十分节约的方法，还观察到了一件很有价值的事，那就是透纳在他的作品中使用了蛋彩画法，因此他很担心这些画在上漆之前被水破坏。两个月的时间里，他开始了8至10幅画的创作，最后完成了3幅，在他的工作室里展出。拿撒勒人对轮廓和冷色有一种严肃的热爱，罗马公众仍对他们抱有莫大的兴趣，透纳迈出了大胆的一步，成百上千的游客前来观赏《奥尔维耶托风光》和《美狄亚的愿景》（*The Vision of Medea*），尽管许多人持批判态度。其他人则欣赏他的大胆，但他似乎并没有因为这些作品收获追随者。透纳亲自仔细观察了西斯廷教堂，也观赏了以托马斯·吉布森（Thomas Gibson）为首的大批在罗马的英国雕塑家的作品。在回程中，我们欣喜地发现一个同路人描述过对他的直接印象：

图112

　　　　我真走运，遇到了一位不仅脾气好，而且风趣幽默的身材矮小的老人，他可能会成为我整个旅途的旅伴。他不断把头伸出窗外，画下任何他喜欢的东西，在欣赏马切拉塔的日出风光时，因为售票员不肯等他，他就大发雷霆。"去他的！"他说，"他真是块木头。"他只会一点儿意大利语，法语也只会几句，他把两种语言混在一起说，非常有意思。他的好脾气让他不在意任何困难，在他最爱的事业上孜孜不倦，我想你一定会喜欢他的。和他交谈的时候，我感觉他显然是某位艺术家的近亲，当然，纯属猜测。你可能知道他，他箱子上的名字是J. M或者J. M. W. 透纳！

1829年1月，从塞尼山返回英国途中，历史再度上演：大雪又一次让他的努力化为泡影。1819年1月，透纳缺席期间，康斯太布尔成了皇家美术学院的候补会员，等到1829年他当选正式会员时，透纳出席了那次会议。支持康斯太布尔当选的票数只以一票领先，有谣言说透纳不赞成他的对手当选。前一年拉票失败后，康斯太布尔写信给C. R. 莱斯利（C. R. Leslie）："我很抱歉，透纳本该冲着雕塑家弗朗西斯·莱格特·查恩特雷（Francis Leggatt Chantrey）大吼大叫，但我想

起来我不太喜欢他的白眼和摇头。"不过，透纳还是向康斯太布尔通报了结果。

透纳把自己置于罗马的光线下作画的经历，是他从依据调色板的色调创作转向后期更为自由的色彩创作的又一大步。他在罗马为1829年展览创作的绘画没能及时到达，因此在回到英国之后，他努力工作，准备另画一组作品。《洛雷托项链》（*The Loretto Necklace*）主要画的是一个农夫将一条项链送给一个女孩，背景是回忆着1819年所谓"第一次见到克洛德"时记录下的洛雷托风光画出来的。但另一幅更重要的作品是《尤利西斯嘲弄波吕斐摩斯》，这是他整个绘画生涯中最杰出的作品之一。在构图方面，他借鉴了20多年前的一幅作品。透纳似乎对普桑这一主题的处理有一定了解，因为这幅作品和普桑在埃尔米塔什博物馆的作品有一个共同点：波吕斐摩斯探出山顶峭壁。但这幅

图113

**图115** 下图，《北湾的北画廊：欧文的罗宾逊夫人肖像挂在弗拉克斯曼的〈圣迈克尔战胜撒旦〉的左边》（*The North Gallery from the North Bay: Owen's Portrait of Mrs Robinson Hanging to the Left of Flaxman's St Michael Overcoming Satan*），1827年

图116 上图，《佩特沃斯公园：远处是蒂林顿教堂》（*Petworth Park: Tillington Church in the Distance*），1828年

图117 下图，《奇切斯特运河》（*Chichester Canal*），1828年

画中惊人的、丰富的色彩表明，他吸取了第二次罗马之旅的经验和思考。尤利西斯所在的装饰精美的船尾酷似1821年威廉·埃蒂（William Etty，英国画家）带着克莱奥帕特拉（Cleopatra）抵达西里西亚时乘坐的船；其中的仙女们是透纳的想象力在古典故事中发挥作用的一个绝妙的例子。但奇怪的是，波吕斐摩斯成了行动的中心，他摆出了普罗米修斯式的悲剧姿态，似乎是在反抗折磨他的尤利西斯，而不是正被尤利西斯嘲笑。

图118 上图,《杰西卡》(*Jessica*),1830年展出

图119 上图，《穿着范·戴克衣装的女士》（*A Lady in a Van Dyck Costume*），1830—1835年

透纳保留了自己在罗马的工作室，本想再在那里住一年，但他最终决定不再去了。他告诉伊斯特莱克，自己不能早早就去是因为害怕酷暑，但真实的原因是他担心父亲的健康。1829年9月，父亲去世时，透纳刚从去往巴黎和诺曼底的短期旅行中归来。在这之前的许多年里，透纳一直和父亲关系亲密，父亲的去世让他大受打击，他说自己仿佛失去了独子。不久后，劳伦斯去世，学院重新选举院长，透纳完全不受支持，这又是一件丧气的事。在这种情况下，他愈发频繁地作为埃格雷蒙特伯爵的客人拜访佩特沃思，这对他而言是一种安慰。埃格雷蒙特以英国艺术赞助人的身份，于1802年第一次购买透纳的画作，之后又陆续买了一些，现在，他委托透纳在佩特沃思的"雕室"（Carved Room）里创作4幅大型风景画。这样的委托本身对透纳而言就意义重大，因为近年来的展览中透纳没能卖出一幅心血之作，包括《尤利西斯嘲弄波吕斐摩斯》。埃格雷蒙特伯爵让他感到自己周遭有一种充满人情味的欢乐氛围，这让他十分愉悦，从他在佩特沃思创作的一系列未公开的、主要是室内场景的素描中可以看出这一点。在大量的流

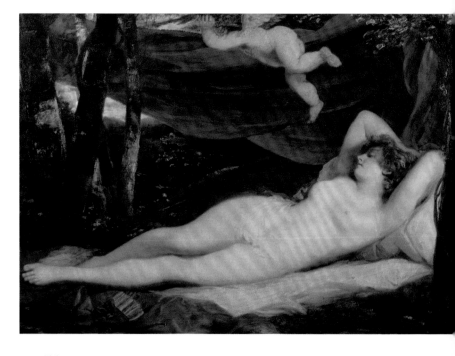

图120 对页图，约翰·霍普纳，《沉睡的仙女与丘比特》（*Sleeping Nymph and Cupid*），1806年

图121 上图，《斜倚着的维纳斯》（*Reclining Venus*），1828年

图122 下图，《根据华托的技法在弗雷努瓦绘制的习作》（*Watteau Study by Fresnoy's Rules*），1831年展出

**图123** 上图，《诺勒姆城堡日出》（*Norham Castle, Sunrise*），约1845年

**图124** 对页图，《救生艇和搁浅的船》（*Life-Boat and Manby Apparatus Going Off to a Stranded Vessel Making Signal (Blue Lights) of Distress*），约1831年

水彩绘和人体彩绘中，透纳记录下了这所大宅中的生活细节：带有大顶棚的四柱床、打着褶的床单、客人们聚在一起吃晚餐、画廊、台球室、三位女性在观看他的画。这些随意的速写在他更为正式的风景画面前相形见绌，他也为这些风景画绘制了同样画幅的素描。透纳再一次选择了直视太阳的视角，让画面的主题构图更加自然，近乎质朴，

图116
图117
《佩特沃斯公园：远处是蒂林顿教堂》《湖泊，佩特沃思》（*The Lake, Petworth*）中动物投下的长长的影子，以及《奇切斯特运河》中船只与河岸在水中的宁静倒影，都让构图变得十分出彩。

在罗马，透纳为埃格雷蒙特伯爵的克洛德收藏创作了一幅姊妹作《帕莱斯特里纳》（*Palestrina*），但他的赞助人更想买下他1830年

图118
在皇家美术学院展出的作品《杰西卡》。这幅画作描绘了身着当代服饰的少女从窗口探出身子的场景，表明透纳在19世纪30年代对人物构

图的兴趣逐渐增加。《斜倚着的维纳斯》是一幅未完成的作品，灵感来源于霍普纳的《沉睡的仙女与丘比特》，这也是透纳新兴趣的产物，《穿着范·戴克衣装的女士》也是如此，这幅画是对埃格雷蒙特伯爵收藏的范·戴克肖像画的模仿。人物画中最具雄心的作品是1831年在皇家美术学院展出的《根据华托的技法在弗雷努瓦绘制的习作》，再次通过斯托瑟德和《薄伽丘讲述鸟笼的故事》的手法模仿了华托的风格。画面展示了一名艺术家在他的仰慕者面前作画，就像他在佩特沃思画素描时一样。这也是一幅使用白色突出前景色彩的尝试之作，他在画作的目录条目中引用的这句话强调了这一经验："白色，闪耀着不被玷污的清澈色泽/能将一件物品带回眼前或让它靠近。"

在同一场展览上，透纳展出了一幅海景图，标题为《救生艇和搁浅的船》，这幅画是为约翰·纳什创作的。纳什死后，这幅画出现在他的出售会上，约翰·希普尚克斯（John Sheepshanks）将其连同《东考斯城堡：赛船会，向停船处进发》一起买下，如今这幅画悬挂在维

多利亚与艾尔伯特博物馆，题为《雅茅斯附近的遇险船只》(*Vessel in Distress off Yarmouth*)。

所谓的"曼比装置"(Manby apparatus)是曼比在雅茅斯担任营房长期间目睹了一场船难之后发明的一种早期用于救生的火箭。这幅画鲜明地展示出画家及其赞助人对时事的警觉，因为在他展出这幅画的1831年，曼比正好当选了英国皇家学会会员。希普尚克斯买下这幅画的时候，透纳大部分非委托创作的展品都未能被学院卖出，这表明这幅画的风格并没有太过极端，不足以让一位当代绘画收藏家敬而远之。在晦暗的天空中，可以看到带着救生索的火箭从炮筒中发射出去的轨迹，海滩上冒出一股白烟，小船在波涛汹涌的海中几乎失去踪影。这些效果，再加上小船发出求救信号的痕迹，都深深吸引着透纳，因为他喜欢用光线来衬托雾气和蒸汽。

图122 《根据华托的技法在弗雷努瓦绘制的习作》的主题反映了透纳这些年来的偏好。尽管透纳对自己的创作技法一直藏着掖着，为人诟病已久，但在皇家美术学院夏季画展开幕前的日子里，他也有在其他艺术家众目睽睽之下创作的时候。透纳之所以在每年的展览前能够离开自己的"舒适区"，展现自己的技艺，有各种各样的动因。其中之一就是展现自己可以"超越、秒杀"任何艺术家。在这样的场合下也能看出，他的精力的确十分旺盛。他在早餐之前就开始工作，持续整个白天，长途旅行的耐力、创作的多样性，这些我们全都一览无遗。

展览开幕式前的那段时间，透纳得以观察自己的对手，许多传言都说，他故意用比周围作品更明亮的色调去画自己的画。其中著名的一个故事与康斯太布尔的《滑铁卢大桥之开放》(*Whitehall Stairs, or the Opening of Waterloo Bridge*)有关。在这幅画中，康斯太布尔使用了与他惯常使用的绿色截然不同的红色，可能有人认为他是试图借此超越透纳作品的非凡效果。透纳当时与康斯太布尔在同一个房间，正在画一幅灰色调的海景图，最后透纳"信手在海面上用铅丹涂抹了一个比1先令硬币还大的圆"。莱斯利这样回顾这段插曲，他说："那团铅丹非常厚重，被画面的冷色调衬得更加生动，相较之下，康斯太布尔画面中的湖泊和朱红色就不够有气势了。"

康斯太布尔说："透纳像是在那里开了一枪。"T. S. 库珀（T. S. Cooper）说："一块煤从乔治·琼斯（George Jones）的画上掉了下

**图125** 上图，《黄昏的星星》(*The Evening Star*)，约1830年

来，弹跳过整个房间，把透纳的海水点燃了。"在绘画时间只剩最后一分钟的时候，透纳"凝视着他在画面上留下的那个鲜红的印记，把它画成了一个救生圈"。这次事件表明了透纳不愿被超越的决心，更直白地说，是不愿被对手超越的决心，也展现出他能在最后一秒完成整个画面的信心。在创作《议会大厦的火灾》(*The Burning of the Houses of Parliament*)时，透纳也处在众人饶有兴趣又带着敬畏的注视下，他把这幅仅开了个头的画完整地画完了：

> 透纳的创作过程十分神秘，他几乎只用调色刀作画，在某一阶段中，我们看见他用一团半透明的东西在画面上揉来滚去，那东西差不多有一截手指的大小。我见考尔科特也在一边看着，就鼓起勇气向他搭话："他在用什么东西画画？"考尔科特回答说："我也不好意思问他。"画完之后，透纳收

**图126** 上图，《巨石阵》(*Stonehenge*)，"英格兰和威尔士的旖旎风光"中的版画，1829年

起了自己的工具，面朝着墙就那么走了，一句话也没对别人说。麦克利斯（Maclise）对此评论道："看，这就是他的技巧，他都没有停下来看一眼他的作品，他知道自己画完了，就直接走了。"

透纳也把这段日子视为和其他艺术家会面并一起工作的重要时刻，他们可以交流英国绘画的一般传统。理查德·雷德格雷夫（Richard Redgrave）认为，这样的交流很有价值，在他还是学院新人的时候，曾受到透纳的指点：一些人批评他把女性的衣领画得太低，"就在这时，透纳朝我这里看过来，像以往那样言简意赅地小声问：'怎么了？'我把上级指责我的事情告诉他，他'哼'了两声，对我说：'再画低点儿。'我以为他是故意要我难堪，结果，他又加上一句：'加点白色。'接着就转身走开了。"雷德格雷夫琢磨着透纳的建议，然后意识到他是想让自己在裙子的领口处画上一部分内搭的罩衣，这样实际上露出来的皮肤还是和之前一样多，按照他建议的这么做了之后，这幅画通过了最严谨的审查。

雷德格雷夫还评论说，透纳喜欢把其他人调色板上的丰富色彩运用到自己的画作中："他不止一次从我们的调色板上调出了甜美的橙红色或群青色，用珂巴树脂（Copal）调和后，立刻应用在他正使用乳香油画颜料创作的一幅画上。"他指出，把干燥性不同的介质混合使用导致了透纳作品的失败，但这也证明透纳希望修饰作品的突出部分，解释了他展出作品中碎片化、多样化的纹理。

在他为公众创作的水彩画中，无论是用于展览、雕刻模型还是售卖的作品，其颜色、媒介和形式的不断变化都得到了充分的体现。比如《巨石阵》，这是为雕刻系列大型作品"英格兰和威尔士的旖旎风光"创作的作品之一，1833年与其他77幅水彩画一起在穆恩、博伊斯与格雷福斯画廊（Messrs Moon, Boys, and Graves gallery）展出。

图126

与之形成鲜明对比的水彩画是他的私人创作，他没有用当时的人们能够辨认出来的形式去创作这些作品。幸运的是，他热衷于保存自己的作品，将它们全都存在了一处，这些杰出的作品现在是透纳遗赠的一部分，由国家收藏。在为透纳遗赠中成千上万的画作分类时，针对这些作品，芬伯格想不出比"色彩的开端"更好的描述了。在遗赠中，也有彼此内容相关的斑斑驳驳的木板，以及只画了个开头的画布。现在，随着现代艺术的发展，我们已经习惯于纯色的、抽象的画作，这些和谐的、近乎抽象的设计很有可能就是透纳想画的东西，而不是他的草稿。到底事实是否如此，我们不得而知，但透纳保存了这些作品，说明他重视它们，也不可能没有意识到这些作品并不完整。100年后的今天，我们可以从这些作品身上看到完整性。此外，透纳曾经一定将这些画布送到学院，准备把它们画成完整的作品，以便让同时代的人在画展开幕前的那三天时间里辨认出它们。他的水彩通常也是从污迹斑斑的背景开始画的。

图129

透纳是何时开始创作"色彩的开端"的，这和他大部分的私人事务一样，令我们难以推断。显然，19世纪20年代时，他已经开始创作这些作品了，可能就是在他第一次意大利之旅后不久。1828年第二次意大利之旅中，透纳创作了大量风格类似的油画速写，许多都画在一块卷起的画布上。他通过这些画对绘画的三个要素，即形式、色彩和

图127 上图，《海上风暴》（*A Storm at Sea*），1819—1831年

图128 下图，《卡特梅尔沙地，坎布里亚郡》（*Cartmel Sands, Cumbria*），1825—1830年

图129 上图，"色彩的开端"：《牛津高街》（*The High Street, Oxford*），1825—1839年

图130 下图，《天空与海》（*Sky and Sea*），1826—1829年

**图131** 上图，《内米湖》（*Lake Nemi*），1827—1828年

光线之间的关系进行了持续不断的探索。在早期作品中，透纳参照了前人的作品来确定画作的形式，他使用的色彩范围也随之缩小。康斯太布尔在他的一堂课上展示了光线和色彩的独立性，他举起一杯水说："亮度是克洛德特有的出彩之处；亮度和色彩无关，你们看，这杯水里哪有什么颜色？"虽然透纳处理作品中的光线有不可思议的技巧，但他的反思、经历和意大利之旅将他的兴趣引向了可见世界中的色彩，尽管这样可能要牺牲作品的形式。他对色彩、蒸汽、烟雾等非物质媒介的迷恋帮助他做出了选择。因此，在后来的画作中，他用色彩来创作，形式开始消解，只让人联想，并不完全呈现出来；在他的私人创作中，他只使用彩色颜料，几乎不涉及任何自然的形式，除非我们把它们看作天空、大地和海洋被色彩遮盖后的区域。

1816年，黑兹利特批评透纳，说他的画"除了画得像以外一无是处"，我们认为这句评价更适用于他晚期的绘画，而19世纪20年代至

30年代针对透纳公开作品的一些批评，似乎预示了同时代人尚未知晓的端倪。

图145
图132

比如说，1836年时，透纳展出了梵蒂冈题材的作品《朱丽叶和她的乳母》（*Juliet and her Nurse*），以及《墨丘利与阿耳戈斯从阿文丁山远眺罗马》（*Rome from Mount Aventine and Mercury and Argus*），康斯太布尔点评道："透纳已经超越了自己，他似乎在用带颜色的蒸汽作画，如此轻盈，如此稍纵即逝。"他好像是在点评"色彩的开端"的作品，当然，除了透纳展出的两幅作品，他并不知道有其他哪些作品被归入了"色彩的开端"。

在透纳的速写簿中，还有一些更私密的作品，包括床笫之上的夫妇，以及一些和生殖器相关的主题。可笑且讽刺的是，罗斯金的婚姻并不成功，却不得不在透纳遗赠的画作中面对这些坦荡的情欲场景。他在一本速写簿上题下了这样的话："透纳将这种画保存下来，只能说明他脑子出问题了。"但在这些作品之中，可以看出一些重要的线索：一种完全正常的性享受，透纳对室内场景的迷恋、对旋涡式构图的投入，以及在后来的一些画作中可以看出的，他对半明半暗、若隐若现的形象的探索。

**图132** 下图，《从阿文丁山远眺罗马》，1836年展出

图133 上图，《布雷斯特港：码头区和酒庄》（*The Harbour of Brest: The Quayside and Château*），1826—1828年

　　大约是在1833年，他第一次遇见了布思夫人（Mrs Booth），一位生活无忧的寡妇，在透纳生命的最后几年里，布思夫人扮演了丹比夫人曾经的角色。

　　父亲去世后不久，透纳就开始着手立遗嘱，希望能利于后人。他的主要想法是希望能在学院设立一个风景画教授的职位（在透视课程中，他也会传授相关知识），为日渐衰微的风景画提供援助，并确保他的两幅画能挂在国家美术馆克洛德的作品旁边。后来的草稿中还增加了他希望留存下来送给国家的作品的数量，有一段时间他只打算留下所有完成的作品，后来所有的绘画和速写都被包含在内了。怀着这样的心情，透纳买回了一些德·泰布利伯爵（Lord de Tabley，即约翰·莱斯特爵士）于1827年售出、后来流通在市场上的重要作品，比如《薄雾中的日出：贩卖鱼货的渔夫》和《乡村铁匠为蹄铁的价格争吵，屠夫小马蹄铁的价格》。

图53、
图45

148

# 第五章
# 悲剧

透纳出售的大型画作对他而言不仅仅是委托品，他为书籍创作的插图能够不断扩大他的题材宝库，也暗示了他进一步的创作方向。1831年，出版商托马斯·卡德尔（Thomas Cadell）提议，让透纳为沃尔特·司各特（Walter Scott）的诗集绘制插图，透纳勉为其难地同意了。司各特曾在1819年写道："透纳的手指倒是灵巧，可他总是见钱眼开，相信我，要是不给他钱，他什么都不会做的。他几乎可以说是我认识的唯一一个天才，但在钱的问题上却显得鄙薄。"他们两人注定合不来，但司各特还是怀抱希望：有了透纳的插画，自己的诗集或许能多卖两三倍。透纳为要去苏格兰这件事大惊小怪，最后在阿伯茨福德把所有人得罪了个遍。在这之后，他到西部旅行，乘坐新建造的汽轮去了斯塔法岛。天气很糟糕，他跌跌撞撞翻过许多岩石之后才到达芬格尔岩洞（Fingal's Cave）。依据他这次旅行所作的简单记录，加上到芬格尔岩洞去的艰难经历，透纳创作出了《斯塔法岛的芬格尔岩洞》（*Staffa, Fingal's Cave*）。1832年，他在皇家美术学院展出了这幅作品，它成了透纳最完美的浪漫主义画作。透纳自己描述了这幅画描绘的景象："太阳从地平线上升起，冲破了雨云，像燃着熊熊怒火，伴着狂风呼啸。"这也是透纳第一幅去往美国的画作。这幅画连续13年未售出，C. R. 莱斯利把它送给了纽约收藏家詹姆斯·勒诺克斯（James Lenox），后者的第一反应是这幅画太过模糊，感到失望。透纳听到这句话时，给出了一个为人津津乐道的回答："你应该告诉他，模糊就是我的长处。"

在接受司各特的委托期间，透纳还需要给其他诗人创作大量的插

图134

图。其中最著名，或许也最成功的，是他为罗杰斯的两部书创作的插图，两本书分别是1830年的《意大利》（Italy）和1834年的《诗歌》（Poems）。透纳为拜伦勋爵（Lord Byron）的诗歌设计过一套插画，1834年由约翰·默里（John Murray）出版。他也接受了为坎贝尔的诗歌创作插画的委托，这个版本的诗集于1837年出版。坎贝尔的文字对透纳而言有着特殊的意义，因为他多年来一直是坎贝尔诗歌《希望之悦》（Pleasures of Hope）的崇拜者，并把自己的诗歌作品《希望的谬误》当作对其乐观精神的回应。坎贝尔本人并不是一个盲目的乐观主义者，他的作品充满了对灾难的现实主义描述，他同情遇难的水手和奴隶，也同样同情被征服侵略的国家，比如波兰。他真诚的愿景，加上《英格兰水手》（Ye Mariners of England）一诗中坚定的爱国主义，和透纳本人的个性十分类似，两人都热情地向往自由，也因拿破仑战争培养了牺牲意识。

图134 下图，《斯塔法岛的芬格尔岩洞》，1831—1832年

图135 顶部图,《哥伦布的愿景》(*The Vision of Columbus*),为罗杰斯《诗歌》创作的版画,1830—1832年

图136 左上图,《暴风雨 —— 哥伦布的航程》(*A Tempest-Voyage of Columbus*),1834年

图137 右上图,《一幢别墅(马达马别墅 —— 月光)》[*A Villa (Villa Madama-Moonlight)*],为罗杰斯《意大利》创作的插画,1826—1827年

图138 上图，《霍恩林登》（*Hohenlinden*），为坎贝尔的诗集创作的版画，约1835年

创作插画的过程中，透纳煞费苦心地管控自己的雕刻师，他们这时候开始在更坚硬、更耐久的金属，即钢铁上雕刻：透纳现在已经能够使用黑白色调成功还原自己画作中精妙而细微的色调变化了。他创作的小插图边框并不规则，因此构图也比较松散，他可以释放自己的想象力，以丰富的幻境来描绘诗歌中叙述的情节，无论是哥伦布在罗杰斯的《哥伦布的航程》（*The Voyage of Columbus*）中看到的幽灵军队，还是坎贝尔的《霍恩林登》中回忆的大战，都是如此。正是通过这种画幅较小的创作，他的思想更成体系，并在晚年的油画创作中愈发雄心勃勃，《站在阳光中的天使》（*The Angel Standing in the Sun*）和两幅基于歌德色彩理论的油画就是在这个过程中创作出来的。

图135
图138

图173
图162～
图163

尽管这些版画让透纳在欧洲大陆声名鹊起，但在英国以外的地方，他的油画创作却不受欣赏，评价比不上他在罗马展示的那些作品。1824年，透纳成为伦敦雅典娜俱乐部（Athenaeum）的创始人时，还未能作为英国艺术家在巴黎沙龙中崭露头角。劳伦斯、康斯太布尔和科普利·菲尔丁（Copley Fielding）都出席了沙龙，波宁顿（Bonington）也被授予了一块金牌。四年之后，波宁顿光辉的职业生涯戛然而止，在生命的最后三年，他才在英国，在皇家美术学院、英国美术协会展现自己的才华。康斯太布尔被他肤浅的早期作品冒犯时，透纳却响应了他。他展出的作品中包括威尼斯题材的《广场》（*Piazzetta*）、《总督宫》（*The Ducal Palace*）、《大运河与安康圣母殿》（*Grand Canal with the Salute*），都用鲜艳的色彩画成，波宁顿是这方面的大师。这些明艳的画作可能是让透纳渴望重回意大利的主要原因，也促使他在自己的画作中突然大量描绘各式各样的威尼斯主题。

1819年短暂地游历意大利之后，透纳又于1833年和1840年再次前往意大利。他可能也想看看德国和奥地利的一些风景，这是为了给坎贝尔的诗歌创作插画，而针对罗杰斯和拜伦的诗集，他一定遇到了许多促使他回到意大利，特别是威尼斯的文献。1832年于皇家美术学院展出的作品中，包括《哈洛德的朝圣——意大利》（*Childe Harold's Pilgrimage–Italy*），他引用了拜伦《诗集》第四章中的几行诗，将其附在作品的目录条目上。值得注意的是，这几行诗既描写了意大利如今的衰落，也描绘了意大利现存的美丽：

你的野草无比美丽，你的荒芜要比他乡的沃土更丰饶；

你的毁灭是荣耀，你的废墟是光辉；

你不可玷污的魅力臻于完美。


上一章已经讲到，1832年的学院展览十分著名，因为透纳在展上压过了康斯太布尔的《滑铁卢大桥之开放》的风头。除此之外，他还与乔治·琼斯展开了一场更为友好的竞争。琼斯很尊敬透纳，和他的关系也不错。展览开幕前，透纳问琼斯的主题是什么，在听说他的主题是在火热熔炉中的沙得拉（Shadrach），米煞（Meshach）和亚伯尼歌（Abednego）得到拯救之后，透纳惊讶于这幅画主题中炽热的火焰与自己的风格非常相配，于是在征得琼斯同意的情况下，他自己画了这幅画的另一个版本。

接下来，如果记录准确无误，在第二次访问威尼斯之后，透纳于1833年展出了两幅威尼斯风景画。虽然他早在1819年就去过威尼斯，但这是他第一次以此为题创作的重要绘画，1819年后的14年里，这个主题一直萦绕在他心里，取代了早些年迦太基的那些场景。从此，透纳将自己对空气和光线的充分感知引入到威尼斯的绘画中。第一次游历威尼斯时，他绘制了大量的地形图，为后来的创作奠定了基础，这座城市既是一个真实存在的地方，也像一座采石场，他可以从中挖掘材料，让自己的幻想成真。

图141　1834年，透纳又展出了一幅威尼斯主题的画作，同时还展出了《金色树枝》。在这幅画中，他再一次将阿佛纳斯湖畔融入克洛德式的框架中，这一次他找到了一种恰当的、诗意的表现方式，描绘了这个人们获得从冥界复活的力量的传说。关于这幅画实验性的创作过程，有这么一个说法：前景中的女先知是直接从他的速写本中裁剪下来的，粘贴到画布上的。但数年之后，他替换了这幅画。

1834年10月16日，伦敦发生了一件轰动的大事，其深远的影响从透纳的画作中可以体现出来 —— 伦敦旧议会大厦的大火。起火时，

图139　对页上图，《威尼斯运河》( *Venice, from the Porch of Madonna della Salute* )，约1835年

图140　对页下图，《威尼斯：海关和圣乔治教堂》( *Venice: The Dogana and San Giorgio Maggiore* )，1834年

154

155

图141 上图，《金色树枝》，1834年展出

透纳目睹了一切，敏锐地记住了那些火焰、消防队员，以及他们手中努力想要扑灭大火的橡胶管，并将这些内容都呈现在了一幅精彩的水彩画中（现存于泰特美术馆）。这次事件对透纳而言有特殊的意义，因为议会大厦是泰晤士河畔的历史建筑，距他的出生地很近，曾是他童年时代坚不可摧、屹立不倒的纪念碑，也曾唤起过他心中重要的个人占有欲：在泰晤士河畔，目光所及之处，他能掌控这一切景象。在这场夜间的熊熊大火中，透纳对明亮、对色彩的迷恋得到了全盘展现，

图143　他将这戏剧性的一幕转化为了两幅以此为主题的油画作品。第一幅画将视角设置在威斯特敏斯特大桥最南端，由英国美术协会展出，现藏

图142　于费城艺术博物馆。而第二幅画给了河面一个很宽的视野，扭曲的烈火从河面上腾空而起，炽热的橙黄色席卷过夜空；这幅画由皇家美术学院展出，现藏于克拉克艺术学院。这场真实的建筑大火取代了他心

图30　中《埃及的第五个灾难》虚构的烈火，此后，他越来越不加限制地去

图155　描绘最高调的色彩。一起在学院展出的还有《月光下的煤港》（现藏于国家美术馆），这是泰恩河上的一个工业场景，在那里，夜间照明

图142 上图，《上议院和下议院的火灾，1834年10月16日》，1835年

图143 下图，《上议院和下议院的火灾，1834年10月16日》，1835年

的灯光有一种神秘的趣味。 这幅河景画融合了透纳对商业港口灯光和烟尘的兴趣, 他在伦敦长大时就经常看到这样的场景。

前往威尼斯的时候, 透纳的脑海里仍闪现着耀眼的、 流星般的色彩。 在1835年这次旅程使用的速写簿中, 隐约可见一些室内场景——谋杀、 酒肆、 从黑色的纸上浮现出的他的卧室, 这是很特别的一点。 在同一本速写簿中, 他画下了一些夜间被强烈的光线勾勒出的宏伟建筑, 这些强光包括广场上暴风雨中的闪电、 烟火, 也有安康圣母殿照明用的浓墨重彩的蓝烟火光。 威尼斯当时正逢狂欢节, 那些烟火成了他下一幅威尼斯作品 《朱丽叶和她的乳母》 中的元素, 这幅画于1836年由皇家美术学院展出。 他之所以能胸有成竹地创作这一主题, 是受到了19世纪30年代为诗歌创作插画的经历的激励。 他利用艺术创作给朱丽叶开了绿灯, 将她从维罗纳送到威尼斯, 向她和她的乳母展示了

图145

**图144** 下图, 《有人物的桥景》 ( *A Bridge, with Figures* ), 约1839年

**图145** 上图，《朱丽叶和她的乳母》，1836年

从圣马可广场的屋顶上俯瞰狂欢节的热闹场景。夜晚被烟火点亮，透纳抒发了自己对欢乐场景的感受，将狂欢的形式溶解在扑闪不定的光影中。俯瞰的视角，向画面中间聚拢的一排建筑，延续了他在为罗杰斯和坎贝尔创作诗歌插图时尝试过的一种构图方式。

　　总的来说，威尼斯主题的画作比透纳的其他作品更受欢迎，透纳近年来的一位赞助人，诺瓦的H. A. 芒罗（H. A. J. Munro of Novar）在1836年皇家美术学院的展览上买下了《朱丽叶和她的乳母》以及<br>**图132** 另一幅描绘意大利风光的展品《从阿文丁山远眺罗马》。但牧师约翰·伊格尔斯（John Eagles）却在《布莱克伍德杂志》（*Blackwood's Magazine*）上猛烈地抨击了《朱丽叶和她的乳母》。伊格尔斯出身布里斯托尔的一个富庶家族，是批评家中最容易给出尖锐评论的一类人：他在艺术上受挫，却又能流畅地写作。他本想成为加斯帕尔·普桑那样的风景画家，但1809年未能获准加入旧水彩画学会，此后他就决心成为一名牧师。自1831年起，他在进行牧师工作的同时开始创作大量素描，并为《布莱克伍德杂志》撰写艺术评论。他对康斯太布尔和透纳都口出恶言，长期攻击约翰·埃弗里特·密莱司（John Everett Millais）

1953年的作品《释放令》（*Order of Release*），因此，他的角色和此前的乔治·博蒙特角色有些相似。伊格尔斯不加思索地批判《朱丽叶和她的乳母》，说这幅画"一团混乱，随便画了些粉色、蓝色的条纹，然后扔进面粉桶里"，这让罗斯金感到愤慨。罗斯金那时只有17岁，在看到《意大利》中透纳的插画之后就对透纳产生了兴趣。罗斯金给伊格尔斯的文章写了一份回复，他的父亲决定先将这份回复寄给透纳，再交给杂志出版。透纳一贯不在意恶意抨击，"我从不插手这种事情"，然后将手稿寄给了诺瓦的芒罗，让他同那幅画一起保存。这件事促成了1840年罗斯金与透纳的会面，也是后来罗斯金创刊的《现代画家》（*Modern Painters*）更有力地为透纳作品辩护的原因。

　　1837年的画展上，透纳似乎决心要大展技艺，展品的主题和风格五花八门。《威尼斯街景》（*Scene–A Street in Venice*）延续了《朱丽叶和她的乳母》的思想，将里亚尔托桥一带的大运河段与莎士比亚的戏剧桥段融合在一起，这次选择的是《威尼斯商人》中安东尼奥与夏洛克的相遇，以及一段与修士的插曲。画面中又一次突出了前景结构，但场景设在子午光线明亮的白天。《阿波罗与达芙妮》（*Apollo*

图146

*and Daphne*）唤起了他那种克洛德式的平静心境，而《奥斯塔山谷的暴风雪、雪崩和雷电》（*Valley of Aosta: Snowstorm, Avalanche, and Thunderstorm*）则是他描绘的最狂乱的毁灭性场景，基于他所描绘的那种启示录式的旋涡曲线。

图148

　　当年展出的第三幅作品是《海洛和利安德的离别》（*The Parting of Hero and Leander*），副标题是《来自希腊诗人缪塞乌斯的诗歌》（*from the Greek of Musaeus*），透纳引用了自己的诗句来描述这对情人离别的悲剧，着重描写了凌晨夜空中徘徊不去的月亮，暴风雨欲来的沉重天幕，以及"火炬与将熄的灯火/别离的讯号"。在这幅作品中，透纳真正以历史画家的手法展现了一个经典的主题，也继承了《尤利

图113

西斯嘲弄波吕斐摩斯》的主题。这幅画和透纳这次展出的其他作品有明显的差异，这似乎是因为早在1802年他第一次到法国旅行时，就已经在速写簿上计划创作这么一幅作品。山坡上成片的古典建筑呼应了

图146 对页上图，《奥斯塔山谷的暴风雪、雪崩和雷电》，1836—1837年

图147 对页下图，《现代意大利：路演音乐家》（*Modern Italy: The Pifferari*），1838年

160

图148 下图，《海洛和利安德的离别》，1837年之前

图149 底部图，《海洛和利安德的离别》草稿，1799—1805年

图150 对页图，《芙丽涅以维纳斯的身份前往公共澡堂：德摩斯梯尼遭到埃斯基涅斯奚落》（*Phryne Going to the Public Baths as Venus: Demosthenes Taunted by Aeschines*），1838年展出

他早期对普桑的热爱，而整体的古典端庄感与该神话的史诗性质相呼应，右边的海洋女神也暗含寓意（利安德最后在海中溺亡）。但除却早期的历史绘画风格，透纳还为画面增添了丰富的色彩，这是他近年来作品的特征。他继续描绘自己最喜爱的冷暖色对比，左侧是暖色调，而右侧是冷色调，这是灾难的象征。

促使透纳完善这个早期想法、将其画成自己最成熟的作品的动机可能来自埃蒂的《海洛和利安德的离别》，这幅作品1827年由皇家美术学院展出，在1836年约克郡的贷款展览中再次展出。尽管埃蒂的作品构图呈圆形，人物也更加突出，但两幅画中，人物在台阶上的姿势和月亮透过酝酿暴风雨的云层映照在大海上的场景有惊人的相似之处。

1837年展览前夕，康斯太布尔逝世，他的遗作《阿伦德尔磨坊》（Arundel Mill）和《城堡》（Castle）在展览上展出。由于种种原因，透纳的支持者并不为康斯太布尔悲伤，罗斯金就是最好的例子，同样，康斯太布尔的支持者在透纳逝世后也没有表示同情。这着实令人叹息，正因如此，不曾有人针对两位在风景画领域同样优秀，但在气质和艺术特征上截然相反的同时代的艺术家进行有意义的对比。对比可以让人们了解艺术家创作方法的差异，有助于加深对双方的理解。比如，康斯太布尔热爱他的出生地，其艺术中的地方特色与透纳不断旅行和几乎可以描绘所有场景的能力形成了鲜明对比。只有在描绘泰晤士河风光和威尼斯风景的画作中，透纳才表现出对特定地点的喜爱。他们处理画面的方式也不尽相同：康斯太布尔总是深入关注景观结构，而透纳越来越倾向于在作品的表面上运用色彩，将画面深度融入其中。康斯太布尔对透纳画作的评价表明，他自己也意识到了这一区别："他似乎在用带颜色的蒸汽作画，如此轻盈，如此稍纵即逝。"透纳为数不多的云层习作常与康斯太布尔的习作相比较，仿佛两者是在同一时期、出于同一目的进行的，但刚才提到的差异在这种习作中也有体现。透纳更关心的是在水汽的薄纱中表现颜色的细微差别，而不是强调云朵在天空中的层次。康斯太布尔将云视为近乎雕塑般的三维实体，在他的作品中能够看出云的流动感，而透纳以他惊人的敏锐眼光捕捉到了色调和色彩的细微差别。

康斯太布尔把自己局限在狭窄的题材范围内，几乎没有尝试过插画或历史画，但透纳无疑认为这太过死气沉沉，他喜欢创作寓言、神话和诗歌的场景。他们在性格方面的差异也同样明显：康斯太布尔深爱自己的妻子，也很关爱自己的孩子，而透纳则尽量回避个人关系；康斯太布尔非常善于表达，而透纳几乎无法表达自己的想法。

我们了解许多康斯太布尔与其他更不知名艺术家的关系，但他与透纳关系如何，尽管我们十分好奇，却知之甚少。现有的记录显示，他们起码彼此尊重，并没有因为激烈的竞争导致尖锐的矛盾。此外，康斯太布尔或许对透纳心怀妒忌，他曾提到透纳说"他会在各个方面称王"。尽管透纳尽一切努力去模仿他同时代艺术家的技巧——威尔基、埃蒂、琼斯、马丁、波宁顿——但他似乎从未创作与康斯太布尔直接竞争的英国田园画。也许康斯太布尔的晚期作品当中，那些更突出、更不自然的色彩表明了他想要与透纳越来越明亮的色调竞争的愿望，这也解释了1832年他创作《滑铁卢大桥之开放》时，透纳为何要那样出格地还击，也就是库珀形容的："一块煤从琼斯的画上掉了下来，弹跳过整个房间，把透纳的海水点燃了。"

如果亨利·克拉布·鲁滨孙（Henry Crabb Robinson）说法可信，那么康斯太布尔应当在19世纪20年代赢得了公众的青睐，而透纳则被认为挥霍无度。无论如何，康斯太布尔的离世让透纳失去了一个与他平分秋色的对手。1837年夏天，维多利亚女王继任王位，她的第一批荣誉名单中微雕家牛顿（Newton）、雕刻家理查德·韦斯特马科特（Richard Westmacott）以及透纳的朋友考尔科特赫然在列，唯独没有透纳。C. R. 莱斯利低估了这件事的影响，只说："我认为他可能受伤了。"

1837年11月，透纳的赞助人兼挚友埃格雷蒙特伯爵逝世，他自己也得了病，最后不得不辞去皇家美术学院透视学教授的职务。在任职的31年中，透纳只开过12次课，但他一直固执地坚守这个身份。他的同事正式地向他致谢，并选举J. P. 奈特（J. P. Knight）接替他的工作，还通过了一项决议，预防这种失职行为。

现在，对于展出作品的主题，他已经形成了一套既定的模式。他通过克洛德式的线条诠释意大利风光，但又凭借自己对色彩的感觉进行改动。他能够依据古代的神话或其他主题创作史诗般的作品，比如《尤利西斯嘲弄波吕斐摩斯》以及《海洛和利安德的离别》，也能根据自己亲身体验的自然元素，描绘出展现自然破坏力的末日景象。他可以巧妙地结合如此不同的主题和处理方式，创作出一幅风格接近早期的、色调更暗的海景图，他的同时代人更能接受这样的作品。晚年时，透纳的作品主要局限于写实的地形水彩画，包括一系列河景图，如莱茵河和卢瓦尔河等。但威尼斯的油画尽管在地形上写实，但经常

图113

图151 跨页图,《被拖去解体的战舰无畏号,1838年》(*The Fighting Temeraire Tugged to her Last Berth to be Broken Up, 1838*),1839年

图145
引入叙事元素，比如《朱丽叶和她的乳母》。此外，还有一些他研习伦勃朗、范·戴克或斯托瑟德作品创作的人物画。在生命最后的阶段，透纳的作品类型分明，但它们之间也有明显的共性：它们对应了透纳在"研究之书"中最初尝试的逻辑分类。最值得注意的是透纳从一种表达方式转换到另一种表达方式的能力，他在这个过程中没有失去自信，也没有再让折中主义淹没他的个人风格。尽管他已经能够进行如此多样的创作，但他并没有减少自然写生的活动，他在"色彩的开端"中对纯粹结构进行私人研究的勇气也丝毫没有消减。

图151
　　1838及1829年的学院展览中，透纳展出的作品大多是意大利题材，但有一幅海景图与众不同——《被拖去解体的战舰无畏号，1838年》。在这幅画中，透纳的爱国主义、对海洋的感情、英雄逝去给他带来的影响与他个人的强烈情感交融在一起。"无畏号"（Temeraire）是一艘英国建造的战船，它的法语名字来源于在拉各斯湾俘获的战利品，曾

图48
在托拉法加英勇作战。透纳此前就已经画过这艘船了，《胜利号》中越过"胜利号"破碎的船尾可以看到"无畏号"，《托拉法加的海战》中也有它的身影。透纳目睹了"无畏号"在泰晤士河上被拖去罗瑟希德解体的场景。落日余晖最后一次映照在"无畏号"的船身上，洁白的"无畏号"与漆黑的拖船、最后一次将它锚定的浮标形成了鲜明的对比，这都象征着透纳本人的情感。

图154
　　1840年展出的海景作品没有延续这幅作品的叹惋离别之情，在作品《贩奴船（黑奴贩子把死奴与病奴抛入大海——暴风来袭）》（*Slave Ship <Slavers Throwing Overboard the Dead and Dying, Typhoon Coming On>*）中，血红的落日映照着大片的天空。透纳说，1839年的整个夏天他都无所事事，鉴于他对一切事物都充满兴趣，他很可能在这段时间阅读了T.克拉克森（T. Clarkson）的《废除非洲奴隶贸易的历史》（*History of the Abolition of the Slave Trade*），那一年这本书正好出了第二版。透纳似乎是知晓了这本书中记载的宗号船屠

**图152** 对页上图，《警告汽轮浅滩的讯号》[*Rockets and Blue Lights (Close at Hand) to Warn Steamboats of Shoal Water*]，1840年

**图153** 对页下图，《从朱代卡远眺威尼斯》（*Venice from the Giudecca*），1840年

**图154** 跨页图，《贩奴船（黑奴贩子把死奴与病奴抛入大海——暴风来袭）》，1840年

杀事件：传染病在船上肆虐时，船长下令把病人和奄奄一息的人扔进海里，如果他们在海上失踪，而不是死在他的船上，他可以为他们申请保险。那时候，恰逢一场风暴即将来临，他借口说这场风暴可以缓解船上缺水的问题，这就让透纳联想到了汤姆森《夏天》(Summer)中的一段诗句，这段诗句描写的是一艘贩奴船在台风中失事的场景。在这幅画的目录条目中，透纳引用了一些自己的诗句，诗句将台风作为贩奴船犯下伤天害理之罪的原因，并暗示奴隶贩子将失去市场，这是《希望的谬误》的又一个例子。在透纳的所有作品中，没有比风和海更庄严、更可怕、更具破坏性的自然力量了。暴风雨的海浪映出落日的血红光芒，与遇难者的鲜血融为一体，船体在风暴中显现的剪影，也具有某种人们想象中徘徊在海洋上的幽灵船的神话色彩。

海洋的危险始终在他脑海中挥之不去，在1840年又一次重要的展
图152 览上再次展现出来，这次展出作品的全名是《警告汽轮浅滩的讯号》。这幅画让人想起9年前他为约翰·纳西画的雅茅斯的场景，画面海浪的浪头、被风扭曲的烟雾和灯光让构图呈现出一种狂野的夸张感。为了让展览更加多样化，透纳同时展出了提香作品的衍生作《酒神与阿里阿德涅》(Bacchus and Ariadne)、一幅平静的海滨风景画《新月》(The New Moon) 和两幅意大利风景画。两幅意大利画中，有一幅是
图153 《从朱代卡远眺威尼斯》，被希普尚克斯买下，现藏于维多利亚与艾尔伯特博物馆，这是透纳非常优秀的浅色调城市风景画之一。

那年夏天，罗斯金第一次见到透纳，他在当晚的日记里记下了会面的经过：

> 所有人都和我说他粗野、头脑简单、俗气。我知道绝不是这样。我发现他只是有点古怪，实则是一位热心、求真的典型英国绅士。显然，他脾气很好，也很坏，憎恨各类骗子；他精明，也许还有些自私；他智商很高。他表达思想的力量有时并不让人愉快，但也不是在刻意卖弄，偶尔的一句话或一个眼神，就可以看出他迸发的才智。

这与G. D. 莱斯利（G. D. Leslie）对他生命最后几年的外貌描写非常吻合："无论在外表还是举止上，他都具有水手般难以形容的魅

力，那双灰色的大眼睛就是那些长期以来习惯于无论天晴与否，都直视大自然面孔的人的眼睛。"

尽管这时透纳已经65岁了，摆在他面前的仍有5年的艰难旅程。他最后一次访问威尼斯是在1840年，并在随后的4年里到瑞士旅行。从威尼斯归国之后，出于对历史场合的敏感，他去了罗西瑙，艾尔伯特亲王（Prince Albert）的出生地，当时亲王刚刚和维多利亚女王结婚。他1841年送往学院的展品之一就是以此为主题的，但如果他的目的是为了获取王室的赞助，那他并没有成功。一位评论家说这幅画是"鸡蛋和菠菜"，艾尔伯特亲王也没有购买任何透纳的其他作品作为自己的收藏。这是19世纪40年代人们的品位越来越德国化的预兆，从威廉·戴斯（William Dyce）作品的成功中可见一斑。毫无疑问，透纳在罗马工作时与拿撒勒人有过接触，所以他知道这种新风格的由来。但是现在，他那与生俱来的竞争力被弃之不顾了，他不再试图去模仿那些新的对手。

从威尼斯回国的旅途中，透纳画了一幅巴伐利亚国王在雷根斯堡附近建造的瓦尔哈拉神殿的速写，这是路德维希一世设计的希腊风格的艺术神庙。依据这幅速写，透纳创作出了名为《瓦尔哈拉神殿的开放，1842年》（*The Opening of the Wallhalla, 1842*）的作品，1843年他在学院展出了这幅作品。两年后，透纳将这幅画外借给慕尼黑的一次展览，但它没能得到任何人的理解。这幅画被归还后，成了透纳在安妮女王街画廊里颇受瞩目的画作之一。其中一位参观者是伊丽莎白·里格比（Elizabeth Rigby），也就是后来的伊斯特莱克夫人，她这样写道：

图157

> 这位老先生非常有意思：他这幅宏伟的画作《瓦尔哈拉神殿的开放，1842年》曾被送往慕尼黑，不出所料地在那里遭到了嘲笑，后来他们将这幅画归还给他，画面都被斑点弄脏了，还让他支付7英镑的钱。透纳只能可怜巴巴地用他形状奇怪的拇指抚摸那些斑点。诺瓦的芒罗先生建议把那些斑点擦掉，我拿出了我的麻纱手帕。但老先生把我们都挤到一边，像一只愤怒的母鸡似的站在他的画作前。

图 155 跨页图，
《月光下的煤港》，
1835年

174

**图156** 上图，《沉船 —— 诺森伯兰郡海岸，一艘蒸汽船协助另一艘船离岸》（*Wreckers-Coast of Northumberland, with a Steam-Boat Assisting a Ship off Shore*），1833—1834年

**图157** 下图，《瓦尔哈拉神殿的开放，1842年》，1843年展出

透纳仍然激情不减地创作威尼斯主题的绘画，1841年有3幅送往学院展出，1842年有2幅。这些作品比起其他主题的作品更受欢迎，5幅全部售出了。就在这时，他重新想到了一个主意，那就是自己冒险出版5幅重要的巨幅画作。这个想法源于他对威廉·伍利特（William Woollett）出版的理查德·威尔逊的大幅风景画的赞赏。他最后选定的作品非常耐人寻味，用他自己的话说："这可能会开启英国学派的新时代。"这5幅作品包括1811年的《墨丘利与赫尔斯》(Mercury and Herse)、1814年的《狄多和埃涅阿斯》(Dido and Aeneas)、1815年的《渡溪》、1831年的《卡里古拉的宫殿与桥梁》(Caligula's Palace and Bridge)，以及《朱丽叶和她的乳母》。短短的列表中，有4幅作品选自他职业生涯的巅峰时期，只有一幅作品与地中海地区相关，是个例外。它们包括透纳的第一幅迦太基作品、一幅神话作品、一幅罗马作品、相关轶事最多的威尼斯作品，而除了这些意大利主题的画作，他还加上了一幅英国风景画，这幅画能概括他的这一类作品。这样的选择体现了他对自己倾注最多抱负的历史风景画的重视，这是他长久以来的愿望。

图73
图145

1842年的展览对他来说十分难忘，他最为人熟知的两幅作品的原作在那场展览上已经展示得十分透彻。《安息—海葬》(Peace–Burial at Sea) 是他对大卫·威尔基的感人致敬。他对同事的死亡总是非常敏感，由此变得越来越孤独。他的父亲于1829年去世，接着，1836年，W. F. 威尔斯（W. F. Wells）逝世，1837年埃格雷蒙特伯爵逝世，1841年威尔基从近东回国后在海上逝世，不久后查恩特雷也离世了。与乔治·琼斯商议后，透纳决定以创作纪念威尔基这位朋友兼对手。乔治·琼斯以甲板为主视角，创作了一幅遗体交接图。透纳说："我会照它在海岸边出现的场景去画。"画面的中心光源为这送葬场景营造了一种神秘感，在光源处，棺椁被沉入深海，其光辉与船体的黑色剪影形成了鲜明的对比。时值傍晚，微风轻拂，几乎没有受到惊扰的烟雾强调了标题传达的宁静与含蓄。克拉克森·斯坦菲尔德（Clarkson Stanfield）对透纳说，那些船帆实在太黑了，但透纳回答道："我只希望有什么颜色能把它们染得更黑。"这幅画叙述的是一个生命的逝去，的确可以同《被拖去解体的无畏号》相提并论，但在展出这幅画的同时，透纳为平衡主题，还展出了一幅作品，描绘流放中的拿破仑思考

图158

图159 他在战役中犯下的愚行，他将这幅画命名为《战争：流亡者和石贝》（*War: The Exile and the Rock Limpet*），并引用《希望的谬误》最成功的一段诗句扩展了这个题目。拿破仑正对着帽贝岩苦思冥想：

> 呵！你那帐篷般的外壳，
>
> 就像独自在血海之中的士兵，
>
> 在夜间的营帐，
>
> ——但你仍可以加入到你的同伴中去。

在设计这幅画时，透纳再次有意识地在红色颜料和血液之间画上了隐喻式的等号。

图160 《暴风雪——汽船驶离港口》（*Snowstorm–Steam-boat off a Harbour's Mouth*）对这幅画的创作有直接影响。他为这幅画添上的副标题是《阿里尔号驶离哈维奇的那天夜里，作者正身处那场暴风雪之中》（*The Author Was in This Storm on the Night the Ariel Left Harwich*）。当牧师金斯利（Kingsley）告诉他，他的母亲也有类似的经历、能够理解他的意思时，透纳很气愤。他说："我画这幅画不是想叫谁理解，而是想还原当时的场景。我让水手们把我绑在桅杆上，好观察当时的景象；我被暴风雪鞭打了4个小时，毫无逃跑的想法，只是觉得自己一定要把这个场景记录下来。没人有权利喜欢这幅画。"在这种情况下，这幅画的设计——海浪交叉的、陡峭的弧度——不是他凭想象硬画出来的，而是他以英雄般的坚韧目睹、以非凡的记忆记录下的场景的产物。除了金斯利的母亲，很少有人关注过这样的暴风雪，更没有人能欣赏透纳对它的解读。一位评论家称之为"肥皂泡沫和石灰水"，透纳回忆起40年前也有人批评他的海浪像白垩粉，他的大海看起来像肥皂水或是粉笔水。听到这一批评时，透纳正与罗斯金一家共进晚餐，坐在那里自言自语：肥皂水和石灰水？他们脑子里都在想什么？我倒想知道大海究竟是什么样的？真希望他们也在里面。这种不公正的批评使罗斯金下定决心作出回应，就像1836年《朱丽叶和她的乳母》遭到攻击时他所做的那样。他为透纳辩护的计划是写一本小册子，但之后发展壮大成了五卷《现代画家》，其中前两卷分别于1843年和1846年出版。尽管这部作品对透纳极尽赞美，但透纳本人

**图158** 上图，《安息—海葬》，1842年展出

并不满意，罗斯金也注意到，罗斯金几乎没有得到透纳的感谢。罗斯金对透纳后期的作品倾注了极大的热情，对透纳的大部分成就有着本能的欣赏，这是不可否认的。凭借口才与奇特的描述，他迫使许多人去欣赏绘画，或至少更仔细地观察自然，并将绘画与他们看到的东西进行比较。

但透纳太过强调自己的地形风景画，忽视了自己的历史风景画及史诗风景画，尽管他对后者倾注了更多心血。罗斯金记录道，透纳无

**图159** 上图，《战争：流亡者和石贝》，1842年

法忍受他人贬损同时代人的作品，却没有尽可能地为自己辩护，并强调作画的难度。他不能忍受别人全盘否定克洛德而赞扬自己的作品。他曾这样评价《向阿波罗献祭》："它称得上无可模仿。"罗斯金却轻蔑地说："克洛德犯错的直觉非常精准，他没有足够的思维能力，以完全原创的方式犯错。"罗斯金为自己辩护说，他的真正目标是斯坦菲尔德、托马斯·克雷斯维克（Thomas Creswick）、马丁、F. R. 李（F. R. Lee）和J. D. 哈丁（J. D. Harding），他攻击克洛德是因为他不能攻击

在世的艺术家；但透纳不太可能被这一论点打动。

　　整个19世纪30年代，透纳一如既往，一直在大胆创作水彩画。他完善速写簿中的写生，制作版画，绘制插图，创作更细致的地貌风景。透纳有一批稳定的赞助人资助他创作风景画，从1834年起，一位新的交易商托马斯·格里菲斯（Thomas Griffith）开始为他们处理这些事务。最后一笔交易是在1841年，当时透纳想要筹集资金制作他最重要的5幅作品的巨幅版画。他带着最近在瑞士和莱茵河上画的15幅彩色素描和4幅已完成的素描去找格里菲斯，请他尽可能多地接受委托。这组作品中包括久负盛名的《红色里吉山》（*Red Righi*）和《蓝色里吉山》（*Blue Righi*），以及卢塞恩湖畔（Lake Lucerne）山峦的晨昏之景，但此时他作品的市场逐渐萎缩，只有9幅画售出。其中有一幅《施普吕根山口》（*Pass of the Splugen*），罗斯金特别想买下这幅画，但没能从它的原买主——诺瓦的芒罗那里得到它。罗斯金多年来一直在收藏透纳的画，对此事颇感不平。他这样说道："这幅画是最棒的瑞士风景画，我完全能理解这一点，只有我才能拥有它，其他人都不够格。"

　　1843年，透纳往皇家美术学院送去了6幅作品。其中一幅紧跟时事，却命途多舛，那就是《瓦尔哈拉神殿的开放，1842年》。另有3幅威尼斯风景画，其中《威尼斯的太阳入海起航》（*The Sun of Venice going to Sea*）和《圣贝内代托，面朝富西纳》（*St Benedetto, Looking Towards Fusina*）被视作特别的成功之作。还有两幅作品是《阴霾与黑暗——洪水灭世之夜》（*Shade and Darkness – The Evening of the Deluge*）和《光与色——洪水灭世后的清晨——摩西写作〈创世记〉》〔*Light and Colour (Goethe's Theory)–The Morning after the Deluge–Moses Writing the Book of Genesis*〕，他仍在试图扩大自己艺术宇宙的范围。这两幅作品最直接的创作原因是1840年伊斯特莱克翻译的歌德的《颜色论》（*Theory of Colours*）。带有透纳注释的画作副本显示，他以研究科学的态度阅读了这本书，就和他研究透视学一样。后来透纳在参观摄像师J. J. 梅奥尔（J. J. Mayall）的工作时再次体现了这样的态度——对梅奥尔的工作刨根问底。

　　透纳并不信任包括尼古拉斯·希利亚德（Nicholas Hilliard）和贺加斯在内的许多实用主义英国画家遵循的艺术规则，但歌德对自己观察到的颜色现象的精确清晰的描述吸引了他。比如，"傍晚时分，我碰巧在一个锻造间里，一块发着光的铁块正被放在铁砧上"，接着是对残像的描述。歌德在他的理论中赋予黄色主导地位，这与他的实践非常吻合。大多画家对色彩都有自己的偏好。18世纪末，透纳开始创作传统水彩画的时候，蓝色是水彩画的主导色。爱德华·戴耶斯在查看吉尔丁一个学生的作品时，曾发出这样的高呼："神啊，没错！蓝色袋子、蓝色袋子！"事实上，康斯太布尔有一个让同龄人难以接受的创新点，那就是他对植物绿色的着迷。学院的同事抱怨他的一幅画"绿油油的，真讨人厌"。透纳在早期作品中依赖较暗的色调和明暗对比，接着借鉴了歌德的"负色"（minus）理论，发展到他晚期的风格，从"色彩的开端"中，我们可以看到最纯粹的色彩，他开始通过纯色来实现心理效果。此时，透纳画中最主要的色调是黄色，歌德将黄色视为最高亮度的一级衍生色，认为黄色具有"宁静、欢快、柔和、激动人心的特征"。他将蓝色置于色彩的最末端，认为蓝色会让

人立刻联想到黑暗和"阴沉忧郁的事物"。因此，蓝色和其他黑色的衍生色，或称"负色"，自然而然地成了《阴霾与黑暗——洪水灭世之夜》的主色调，而黄色及其他暖色，如绿色和红色等，更适用于《光与色——洪水灭世后的清晨——摩西写作〈创世记〉》。但是这些画蕴藏的内涵要比抽象的色彩所展现的含义丰富得多。早在1813年，透纳就已经描绘过洪水的场景，洪水一直是新教肖像画的重要元素。约翰·马丁在他精心构思的建筑幻想中给了洪水更有力的影响，他于1837年在皇家美术学院展出了自己的作品《洪水》(*The Deluge*)，后来成了一幅很有名的铜版雕刻作品。有趣的是，歌德信奉这样一种观点，即是在《圣经》记载的洪水之后，人们才发现了地球的岩层。而在《希望的谬误》的诗句中，透纳接受了传统的观念，即人类对上帝的违抗导致了洪水，他可能意识到了这一时期人们对洪水地理意义的讨论，于是他将描写洪水的诗句附加在自己的画作中。透纳和歌德

图162

图163

图164

图160 对页图，《暴风雪——汽船驶离港口》，1842年

图161 上图，《红色里吉山》，1842年

**图162** 上图，《阴霾与黑暗——洪水灭世之夜》，1843年展出

的观念不谋而合。透纳画作中巨大的活力和动感来自动物向方舟游去的蛇形线条，方舟正漂浮在画面中央的水面上；它们的动作就像一个延伸成圆锥体的码头。在画面卓越的色彩效果之中，可以看到太阳发出的自然光，和前景的避难所中照亮无助遇难者的人造光线，两者形成了鲜明的对比。

《阴霾与黑暗——洪水灭世之夜》的姊妹作《光与色——洪水灭世后的清晨——摩西写作〈创世记〉》也参考了类似的手法，其手法可能更加复杂。画作的释文写道：

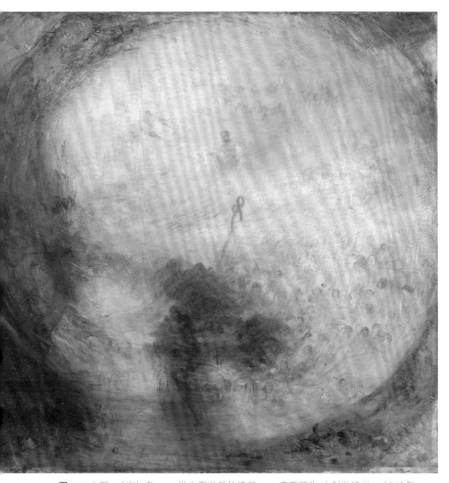

**图163** 上图，《光与色 —— 洪水灭世后的清晨 —— 摩西写作〈创世记〉》，1843年展出

方舟在亚拉腊山稳稳停靠：朝阳又起，

吐出地面潮湿的气泡，及对光明的渴望，

以棱镜般的伪装反射出她消散的形状；

希望的预言，短暂如夏日，

升腾，掠过，扩散，逝去。

　　《光与色 —— 洪水灭世后的清晨 —— 摩西写作〈创世记〉》的构思来自歌德的"正色"（plus），即生动活泼的色彩，与前作沉寂的氛

**图164** 上图，约翰·马丁《洪水》，1834年

**图165** 对页图，《奥斯坦德》（*Ostend*），1844年

围截然相反。画面中引入了正在写作《创世纪》（*Book of Genesis*）的摩西，让这个场景更具创造性，而盘绕在柱子上的蛇与创世神话有关，也与当前的场景有关：摩西的随从被变成了这个样子。诗歌和这幅画中的气泡是对歌德理论的回应，在这段理论中，歌德让人们认识到了气泡表面产生七彩色的起源。这幅作品中的球状元素让人想起透纳在他课程中展示的抛光球形表面反射的实验。

　　上述作品都是透纳悲剧性人生观的载体——罗斯金称之为"黑暗的线索"——而他的同时代人很难理解他。或许是为了让这些作品更为人们接受，或为让它们不那么引人瞩目，透纳才坚持在同一时期展出威尼斯的风景画。在接下来的1844年，他在皇家美术学院展出了3幅威尼斯风景画，带有低地国家画派的风味。除此之外，他最具独创性的展品是一列火车穿过最近完工的梅登黑德和塔普娄之间的大桥的

图168
场景，他将这幅画命名为《雨、蒸汽和速度——西部大铁路》（*Rain, Steam, and Speed–The Great Western Railway*）。据说这幅作品仍然

图160
是源自他的亲身经历，和《暴风雪：汉尼拔和他的军队越过阿尔卑斯

山》《暴风雪——汽船驶离港口》一样。罗斯金的一位旧友对他说，她乘坐埃克塞特特快列车前往伦敦时，车厢里的一位老绅士请求人们允许他打开窗户。他把脑袋伸进暴风雪中9分钟，观察并记忆；次年她就在皇家美术学院看到了这幅画。铁轨上有一只野兔奔跑在列车前方，这是一种典型的玩味手法，暗示了列车速度的限制。画面的构图中心是一座形似码头的桥梁，向左侧延伸到远处，这是透纳在为坎贝尔《诗集》创作插图的过程中探索过的一种构图法，后来运用在《朱丽叶和她的乳母》和《上议院和下议院的火灾，1834年10月16日》中。

图145，
图142

透纳总是渴望学习更多科学知识，他阅读了托马斯·比尔（Thomas Beale）1839年出版的《抹香鲸自然史》（*The Natural History of Sperm Whale*），这为他的4幅画作提供了文本，其中两幅于1845年在学院展出，另两幅于1846年展出。大概就是在这个时候，他在"色彩的开端"系列作品中加入了形似海怪的日落效果，使之达到

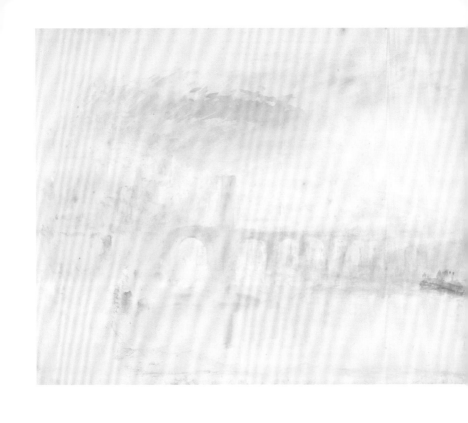

了某种完整的状态。1845年，透纳已经70岁了，但仍然足够活跃，在学院展出了6幅作品之后，他到迪普和勒特雷波尔去寻找"风暴和日落"。在欧洲，他创作了自己晚期最具吸引力的速写，受邀与路易斯-菲利普国王（King Louis-Philippe）共进晚餐。路易斯-菲利普国王是透纳在托威克纳姆的邻居，一位不容拒绝的人物。

透纳仍然为"海难"主题和所有具有力量感的主题着迷。1846年的展览是他人生中倒数第二场展览，他驱使自己为之付出极大的努力。除了《捕鲸船》（*Whalers*）和两幅威尼斯风景画，他还准备了一幅歌剧风格的作品《温蒂妮将戒指给那不勒斯渔民马萨尼洛》（*Undine Giving the Ring to Masaniello, Fisherman of Naples*）。这幅画的创作灵感或许来自透纳对音乐和戏剧的热爱，似乎还结合了他了解过的朱尔·佩罗（Jules Perrot）的芭蕾舞剧《女仙女》（*L'Ondine*）。这部芭蕾舞剧1843年于伦敦的女王陛下剧院上演，范妮·切里托（Fanny

图172
图171

Cerrito）扮演主角女仙女，结合了1829年伦敦上演的歌剧，丹尼尔·奥柏（Daniel Auber）的《马萨尼洛》（*Masaniello*）。

同年，透纳将《麦布女王的山洞》（*Queen Mab's Cave*）送往英国美术协会，附上一句诗句："麦布，你的狂欢真让人眼花缭乱。"在另一场皇家美术学院的展览中，透纳再一次探索了1843年以诺亚方舟为主题的两幅画作的思想和形式。

图173　这幅末世作品采用了旋涡式构图，名为《站在阳光中的天使》。透纳为这幅画的标题加上了一段《启示录》中的经文，其中天使召唤鸟儿，来啄食"国王的肉、勇士的肉、马的肉……"，以及罗杰斯《哥伦布的航程》中的对偶句："晨行的队伍向太阳蒸发，秃鹫的盛宴随夜晚而至。"

罗斯金曾在一篇文章中称透纳是"天启天使"，不过后来这段话从《现代画家》的后续版本中删除了，因为人们认为他是在渎神。或

图166　对页图，《摩泽尔桥，科布伦茨》（*The Moselle Bridge, Coblenz*），约1842年

图167　下图，《风暴中的人》（*Figures in a Storm*），1835—1845年

图168　跨页图，《雨、蒸汽和速度——西部大铁路》，1844年

许我们能从这件事中猜测这幅画的主题，但透纳似乎并没有把自己和画中天使的形象联系在一起，他很有可能是受到了马丁笔下一位天使的影响。如果可以确认前景中的人物是哀悼亚伯（Abel）之死的亚当（Adam）和夏娃（Eve），还有朱迪斯（Judith）和霍洛芬尼斯（Holofernes），那这幅作品就是一个关于死亡和谋杀的寓言。在创作另一幅未完成的画作时，死亡也萦绕在透纳的脑海中，这幅画描绘的是一具从马背上摔下来的骷髅，可能是几年前创作的。作品中的形象可能与《圣经》中的《白马上的死神》（*Death on a Pale Horse*）有关，但更直接的影响是来自雪莱的诗歌《暴政的假面游行》，这首诗写作于1819年彼得卢屠杀之后。透纳用沉郁的红色画出了这可怕的主题。

图174

而在《站在阳光中的天使》中，太阳的光线从白转黄，又由黄转成炽烈的红色，像要将受难者全都吸进去、毁灭他们，就和旋涡状构图外围的猛禽一样。

从《站在阳光中的天使》中，我们能够看出居于主导地位的创造力，同样的活力也体现在1845年他在欧洲创作的水彩画速写中。但此时透纳已经年逾七十，他的健康不如往日。常有人谈起19世纪40

图170

图169 下图，《楚格湖》（*The Lake of Zug*），1843年

**图170** 上图，《欧洲联合教堂的内部》（*Interior of the Collegiate Church at Eu*），1845年

图171 上图，《温蒂妮将戒指给那不勒斯渔民马萨尼洛》，1846年展出

图172 对页图，《捕鲸船》，约1845年

年代他身体欠佳，牙齿脱落给他带来了很多麻烦。外出就餐遇到的困难使他比以往任何时候都更内向，他大部分时间都在夏恩步道河边的小屋里隐居，当地人们叫他布思先生。透纳把情人"布思夫人"安置在那间小屋里，她一直照顾他到最后，但就连他最亲密的同事也不知道这些。

图175　　1847年，他只剩下给学院送去一幅作品的力气了，这就是《身经百战的英雄》（*The Hero of a Hundred Fights*），画的是早前一幅工业

194

风景画的一部分，主题是 M. C. 怀亚特（M. C. Wyatt）铸造威灵顿公爵的塑像，那是前一年 9 月里发生的事。画面中的英雄因铸造厂散发出的光芒而被神化，透纳引用了弗里德里希·席勒（Friedrich Schiller）以造钟为主题的《钟之歌》（*Song of the Bell*）中的德语祷文，他可能也想到了歌德参观铸造厂的一段描述。

这一年的画展开幕前，一位艺术家问透纳："透纳，你今年怎么只送来了一幅作品？"透纳答道："是啊，明年还会更少呢。"到了 1848 年，透纳当真一幅画都没有送去展览，这是他 24 年来第一次缺席。1849 年，透纳送去了早期作品《维纳斯和阿多尼斯》（*Venus and Adonis*）和《沉船浮标》（*The Wreck Buoy*），后者是另一幅早期作品的再创作，原稿画于约 40 年前。透纳从诺瓦的芒罗那里借来了这幅画，几乎把它画成了一幅全新的作品，他在画面上画上了两道彩虹，清楚地与他早期的风格划出了一道鸿沟。

图42

**图173** 上图，《站在阳光中的天使》，1846年展出

　　1850年，透纳倾尽了全力，他可能意识到这会是他最后一次在学院展出自己的作品。他付出了最大、最后的努力，回归到令他魂牵梦萦的狄多与埃涅阿斯的故事上来，创作了4幅组画。其中3幅作品遵循了维吉尔（Virgil）在《埃涅阿斯纪》中的叙述，但画作的引文仍来自《希望的谬误》，他选取的情节是《埃涅阿斯讲述他与狄多的故事》（*Aeneas Relating his Story to Dido*）、《墨丘利被派去警告埃涅阿斯》（*Mercury Sent to Admonish Aeneas*）以及《舰队起航》（*The*

图176

Departure of the Fleet）。第四幅作品似乎是他自己的原创，他想象狄多在埃涅阿斯与丘比特的陪同下拜访了丈夫绪开俄斯（Sychaeus）的坟墓，将这幅画命名为《拜访墓地》(The Visit to the Tomb)，并从《希望的谬误》中引用了一句诗："面对这样的欺骗，太阳怒不可遏地坠下。"整个故事，以及它的主题，恰如其分地证明了透纳一生对人类计谋受挫的故事的关注。在创作过程中，他既要使历史人物具有可辨性，又要让迦太基的建筑和景观消融在温暖的金色柱形辉光中。除了详述埃涅阿斯的欺骗，他在这幅画中可能还暗指某个人物。透纳最后完成的一幅作品竟是平静祥和的《拜访墓地》，这称得上是一个奇怪的巧合。

那年圣诞节，透纳照例从法恩利庄园收到一份野味馅饼作为礼物，他在回信中写道："往日的时光让我难过……我一直害怕它，现在我能强烈地感受到这种情绪。"1851年的学院展览，透纳没有送去任何作品，但是他去参加了展览前的准备日。他一直对水晶宫的造型很感兴趣，一年来，他经常在外面聚餐，目光和头脑都还很有活力。但是当大卫·罗伯茨（David Roberts）试图打探他大部分时间都花在什么地方时，他回答说："你千万别问我。"

几年前，透纳曾受邀出席狄更斯在格林威治举办的晚宴，福斯特写道，他"喜欢静悄悄地享受生活，比起同别人高谈阔论，他更喜欢欣赏河上变幻的灯光"。他从夏恩步道的小屋的阳台上就可以看到那些灯光，不用离开自己的房子。他出生在距离泰晤士河一步之遥的地方，也死在一间可以俯瞰泰晤士河的小屋里。1851年12月19日，透纳离世时，在场的医生记录道："就在上午9点之前，太阳突然冒出来，他喜爱的光辉照耀在他身上。他死时没有发出一声叹息……"

在许多学院同事的目送下，透纳被安葬在圣保罗大教堂。布思夫人和他在安妮女王街破旧画廊的女管家汉娜·丹比也来了。如他所愿，他的遗体埋葬在雷诺兹和劳伦斯的墓旁。透纳在遗嘱中写道，他希望用他可观的金钱财产为英国贫苦的男性艺术家建立一个机构，但这一遗愿没有实现。他的本意并不是要保留下自己创作的一百多幅作品，让人们建一座透纳画廊去纪念他。他的遗愿完成得并不顺利，最终在1856年，透纳的全部艺术遗产，包括完成和未完成的画作——成千上万的水彩和素描，都成了国家的财产。而透纳画廊的开设也并不像他

图174 上图，《白马上的死神》，1833—1834年

图175 对页图，《身经百战的英雄》，1800—1810年，1847年重新创作并展出

图176 跨页图，《拜访墓地》，1850年展出

想象的那样糟糕——他本来可能以为这个画廊值得被写进《希望的谬误》里。透纳留下的作品远不止纸上的作品，可以说他留下的遗产要丰富得多，他的输出海纳百川，在所有方面都能更好地被人理解。

透纳职业生涯的一个重要组成部分是其方向性。回顾他从一个地形画水彩画家到一个色彩运用的先驱和诗人的发展历程，这其中有一种必然性，也体现了他的先见之明。他非常了解自己将来的目标，而且能够积极为其准备，这就最能体现他的先见之明。我们知道，透纳觉得他的同时代人都不能完全理解他的思想，包括罗斯金。在他职业生涯相对较早的时期，他就开始收回自己售出的作品中最值钱的那些，最后计划将自己的大部分作品保存在一起，献给国家。他希望人们可以将自己的作品作为一个整体去看待，就如同他将各种画作分类型保存在一起一样。透纳不喜欢看到在一组类似的水彩画中，有人吹捧这一幅，贬低另一幅，罗斯金就依据自己的亲身经历记录说："他最讨厌的莫过于听到人们对某幅特定的画作滔滔不绝。他知道这仅仅意味着他们不会再去看其他作品。"因此，父亲死后，透纳开始拟定遗嘱时，扩大了遗产的范围。最初，透纳只将自己的重要作品划入其中，但最后将工作室里的一切，无论是成品还是草图，都列入了遗产的范畴。正是由于终版遗嘱的实施，我们不仅有机会看到他展出的大量作品，还能看到"色彩的开端"和那些描绘光线和色彩的实验作品，这些是他最先进的创作，为他晚期的作品指明了方向，却不为同时代的人所理解。

透纳有宏伟的野心，他的成就在许多领域都十分瞩目，尽管他的工作重心只在两三个领域，但要据此理解他的行为或要模仿他的行为

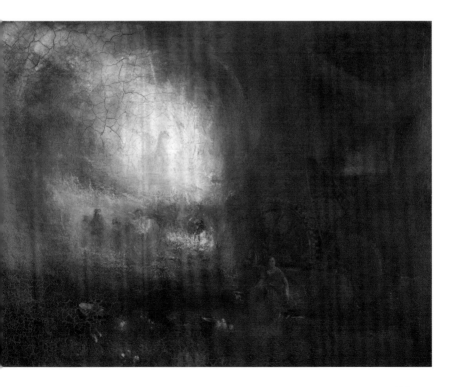

几乎不可能实现。他是一位地形学家，在那些风景优美的画作和对哥特式废墟的刻画中，他表现出与18世纪晚期英国水彩画派的技巧不相上下的能力。后来，在他的地形画和水彩画中，他运用了无可匹敌的技术能力、精湛的绘画技巧，以及对景物等纯粹实物的诗意表达，这些都使他有别于其他风景画家。在早期的海景图中，他与17世纪的荷兰画派一争高低；在人物主题中，他模仿斯托瑟德；在佩特沃斯的室内场景中，他实现了一种崭新的描绘私密场景的形式。或许最接近他内心的，是17世纪之后出现的那些历史或神话题材的、姿态甚高的风景画，他努力地再创造那些题材。透纳最开始使用普桑和克洛德的技法进行尝试；然后克洛德的形象渐渐淡去，因为他对色彩的看法变得越来越激进。似乎正是在晚期的历史风景画中，他能够充分表达自己的创作目的，自由地创作，而不需要像早期那样模仿他人。这些在他生命最后几年展出的作品包括《光与色——洪水灭世后的清晨——摩西写作〈创世记〉》《站在阳光中的天使》和他最后展出的、以狄多和埃涅阿斯为主题的4幅作品。

透纳通过这些作品寻求后人的审视与判断，在他透视课程的发言中、在他想建立风景画教授职位的愿望和他遗嘱的条目中，我们都可以看出这一点。和所有艺术家一样，他必须创造出可以被人理解的艺术品位。他的职业生涯有太多闪光点，以至于他自己可能都不知道顶峰在哪里。绘画艺术的内在发展本身就创造了一种品位。因此，尽管在自己的时代，有越来越多的作品不可理解、到了今天也不受人欣赏，却可以让人们看见，可以成为交流的工具。透纳是一个天才，不仅因为他的作品数量众多、他本人精力充沛，更是因为他的作品成了人们获取新鲜经验的源泉，取之不尽，用之不竭。

# 延展阅读

下列是格雷厄姆·雷诺兹的部分参考书目，他在写作过程中只批判性地采用了其中的一些内容。如今有关透纳的文献已经浩如烟海，数量仍在不断增加，因此这份参考书目不算全面，但囊括了多方面的最新研究，比如如今按目录系统整理的油画和水彩画，以及透纳遗产的在线名录。不包括在内的参考资料有针对透纳后50年生涯中艺术、生活、旅途方面更专业的研究和展览目录，这些参考资料的数目太庞大，不便全部列出，因此只选取了其中一些。若想获取更全面的资料，可以通过网络搜索，或阅读下列书目。

Anthony Bailey, *Standing in the Sun: A Life of J. M. W. Turner*, London, 1997

David Blayney Brown (ed.), *J. M. W. Turner: Sketchbooks, Drawings and Watercolours*, Tate Research Publication, December 2012, https://www.tate.org.uk/art/research-publications/jmw-turner

Martin Butlin and Evelyn Joll, *The Paintings of J. M. W. Turner*, New Haven and London, revised edn, 1984

Gerald Finley, *Angel in the Sun: Turner's Vision of History*, Montreal and London, 1999

John Gage, *Colour in Turner: Poetry and Truth*, London, 1969

———, *Turner: Rain, Steam and Speed*, London, 1972

——— (ed.), *The Collected Correspondence of J. M. W. Turner*, Oxford, 1980

———, *J. M. W. Turner: 'A Wonderful Range of Mind'*, New Haven and London, 1987

James Hamilton, *Turner: A Life*, London, 1997

Luke Herrmann, *Turner Prints: The Engraved Work of J. M. W. Turner*, Oxford, 1990

David Hill, *In Turner's Footsteps through the Hills and Dales of Northern England*, London, 1984

———, *Turner in the Alps: The Journey through France and Switzerland in 1802*, London, 1992

———, *Turner on the Thames: River Journeys in the Year 1805*, New Haven and London, 1993

Evelyn Joll, Martin Butlin and Luke Herrmann (eds), *The Oxford Companion to J. M. W. Turner*, Oxford, 2001

Kathleen Nicholson, *Turner's Classical Landscapes: Myth and Meaning*, Princeton, 1990

Cecilia Powell, *Turner in the South: Rome, Naples, Florence*, New Haven and London, 1997

William S. Rodner, *J. M. W. Turner: Romantic Painter of the Industrial Revolution*, Berkeley, Los Angeles and London, 1997

Eric Shanes, *Turner's Human Landscape*, London, 1990

———, *Turner's England 1810–38*, London, 1990

———, *Young Mr Turner: The First Forty Years 1775–1815*, New Haven and London, 2016

Sam Smiles, *The Turner Book*, London, 2006

———, *Turner: The Making of a Modern Artist*, Manchester and New York, 2007

Barry Venning, *Turner* (Art & Ideas), London, 2003

Ian Warrell, *Turner Sketchbooks*, London, 2014

Gerald Wilkinson, *Turner's Early Sketch Books, 1789–1802*, London, 1972

———, *The Sketches of Turner, RA, 1802–20: Genius of the Romantic*, London, 1974

———, *Turner's Colour Sketches, 1820–34*, London, 1975

Andrew Wilton, *The Life and Work of J. M. W. Turner*, Freiburg, 1979

———, *Turner In His Time*, London, 1987

# 插图表

32.《埃及的第十个灾难》，1802年展出。油画，143.5 × 236.2（56½ × 93）。伦敦泰特美术馆。图片来自泰特美术馆。
33.《加来码头》，1803年。油画，172 × 240（67¾ × 94½）。伦敦国家美术馆。1856年透纳遗赠。
34.《巨浪中的小船，对岸是加来》，1802年。粉笔画，27.1 × 43.6（10¾ × 17¼）。伦敦泰特美术馆。图片来自泰特美术馆。
35.《拿着红色的顶篷在队列中行走的女子》，1802年。水彩及石墨画，18.8 × 16.3（7½ × 6½）。伦敦泰特美术馆。图片来自泰特美术馆。
36.《瑞士夏莫尼谷地的冰海》，1803年。水彩画，石墨胶，在纸上覆盖、涂抹，70.5 × 104.1（27¾ × 41）。纽黑文耶鲁大学英国艺术中心。图片来自保罗·梅隆。
37.《瑞士的圣哥达山口》，1803—1804年。油画，80.6 × 64.2（31¾ × 25⅜）。伯明翰博物馆和美术馆。
38.《圣哥达山口的魔鬼桥》，约1804年。水彩画，纸上用白蜡笔涂抹，105.7 × 75.9（41⅝ × 30）。纽黑文耶鲁大学英国艺术中心。图片来自保罗·梅隆。
39.《珀斯郡的塔姆尔桥》，1802—1803年。油画，28.9 × 46.7（11⅝ × 18⅜）。纽黑文耶鲁大学英国艺术中心。图片来自保罗·梅隆。
40.《圣迈克尔城堡，博纳维尔，萨沃伊》，1802—1803年。油画，91.4 × 121.9（36 × 48）。纽黑文耶鲁大学英国艺术中心。图片来自保罗·梅隆。
41.《圣家庭》，1803年展出。油画，102.2 × 141.6（40¼ × 55¾）。伦敦泰特美术馆。图片来自泰特美术馆。
42.《维纳斯和阿多尼斯》，1803—1805年。油画、蛋彩画，149 × 119.4（58¾ × 47⅛）。私人藏品。
43.《带顶灯的画廊和相关方案》，1818—1822年。石墨画，10.8 × 18.5（4⅜ × 7⅜）。伦敦泰特美术馆。图片来自泰特美术馆。
44.《海难》，1805年展出。油画，170.5 × 241.6（67¼ × 95⅛）。伦敦泰特美术馆。图片来自泰特美术馆。
45.《乡村铁匠为蹄铁的价格争吵，屠夫小马蹄铁的价格》，1807年展出。油画，54.9 × 77.8（21⅝ × 30¾）。伦敦泰特美术馆。图片来自泰特美术馆。
46.《纷争女神在金苹果园中挑选金苹果》，1806年展出。油画，155.3 × 218.4（61¼ × 86）。伦敦泰特美术馆。图片来自泰特美术馆。
47.《吕卡思之死》，1805年。钢笔画，14.3 × 22.8（5¾ × 9）。伦敦泰特美术馆。图片来自泰特美术馆。
48.《托拉法加的海战》，1806—1808年。油画，170.8 × 238.8（67¼ × 94⅛）。伦敦泰特美术馆。图片来自泰特美术馆。
49.《格林尼治公园远眺伦敦》，选自“研究之书”，1811年。蚀刻画，21 × 28.9（8¼ × 11⅜）。纽黑文耶鲁大学英国艺术中心。图片来自保罗·梅隆。
50.《坎伯兰的劳瑟城堡》，1809年。石墨画，22.5 × 36（8⅞ × 14 3/16）。哈佛艺术博物馆/福格博物馆。1888年詹姆斯·勒布所赠。图片来自哈佛大学校长和研究员。
51.《塔布莱庄园，柴郡，J. F. 莱斯特爵士住所，巴特，平静的早晨》，1809年展出。油画，91 × 121.5（35⅞ × 47⅞）。伦敦泰特美术馆。图片来自泰特美术馆。
52.《薄雾中的日出：贩卖鱼货的渔夫》，1799—1805年。黑白粉笔画在蓝底纸上，27.1 × 43.6（10¾ × 17¼）。伦敦泰特美术馆。图片来自泰特美术馆。
53.《薄雾中的日出：贩卖鱼货的渔夫》，1807年前。油画，134 × 179.5（52⅞ × 70¾）。伦敦国家美术馆。
54.《渔夫在海浪中用锚机将船拖上岸》，1796—1797年。水彩水粉画，19.4 × 26.9（7¾ × 10⅝）。伦敦泰特美术馆。图片来自泰特美术馆。
55.《耕作萝卜，斯劳附近（温莎）》，1809年展出。油画，101.9 × 130.2（40⅛ × 51⅜）。伦敦泰特美术馆。图片来自泰特美术馆。
56.《约克郡海岸》，选自“研究之书”，1811年。蚀刻及铜版印刷作品，棕色墨水，17.7 × 25.8（7 × 10¼）。威廉斯敦克拉克艺术学院。2008年由曼顿基金会提供资金的克拉克基金会收购。
57.《沃尔顿桥段的泰晤士河》，1805年。油画，37.1 × 73.7（14⅝ × 29⅛）。伦敦泰特美术馆。图片来自泰特美术馆。
58.《艺术家的工作室》，1808年。铅笔、钢笔、水彩画，18.5 × 30.2（7⅜ × 12）。伦敦泰特美术馆。图片来自泰特美术馆。
59.《威尔斯小屋的厨房，诺克霍尔特》，1801年。油画、水彩画、钢笔画，27.6 × 36.9（10⅞ × 14⅝）。伦敦泰特美术馆。图片来自泰特美术馆。
60.《赛文和沃伊交界处》，选自“研究之书”，1811年。蚀刻、浸渍、铜版印刷作品，18.1 × 26.5（7⅛ × 10½）。纽约大都会艺术博物馆。哈里斯·布里斯班·迪克基金，1928年。
61.《科克斯托修道院的地下室》，约1812年，选自“研究之书”。蚀刻、雕刻、铜版印刷作品，21.1 × 27.9（8⅜ × 11）。明尼阿波利斯艺术学院。伊迪丝和诺曼·加莫绥所赠。
62.《课程用图51：多立克柱式的透视关系》》，约1810年。石墨及水彩画，67.4 × 100.4（26⅝ × 39⅝）。伦敦泰特美术馆。图片来自泰特美术馆。
63.《多立克柱式的透视研究》，约1810年。钢笔、石墨、水彩画，30.6 × 48.8（12⅛ × 19¼）。伦敦泰特美术馆。图片来自泰特美术馆。
64.《格里松山的雪崩》，1810年展出。油画，90.2 × 120（35⅝ × 47¼）。伦敦泰特美术馆。图片来自泰特美术馆。
65.《暴风雪：汉尼拔和他的军队越过阿尔卑斯山》，1812年展出。油画，146 × 237.5（57½ × 93⅝）。伦敦泰特美术馆。图片来自泰特美术馆。
66.《雾晨》，1813年展出。油画，113.7 × 174.6（44⅞ × 68¾）。伦敦泰特美术馆。图片来自泰特美术馆。
67.《迦太基帝国的衰落》习作，1816年。石墨画，9.7 × 15.4（3⅞ × 6⅛）。伦敦泰特美术馆。图片来自泰特美术馆。
68.《狄多建设迦太基》，1815年。油画，155.5 × 230（61¼ × 90⅝）。伦敦国家美术馆。

69. 克洛德·洛兰《示巴女王登舟》，1648年。油画，149.1 × 196.7（58¾ × 77½）。伦敦国家美术馆。
70.《迦太基帝国的衰落》，1817年展出。油画，170.2 × 238.8（58¾ × 77½）。伦敦泰特美术馆。图片来自泰特美术馆。
71.《寻找阿普勒斯的阿普利亚》，1814年展出。油画，148.5 × 241（58½ × 95）。伦敦泰特美术馆。图片来自泰特美术馆。
72. 克洛德·洛兰《雅各布、拉班和他的女儿们》，1654年。油画，143.5 × 251（56½ × 98⅞）。苏塞克斯佩特沃斯庄园。
73.《渡溪》，1815年由皇家美术学院展出。油画，193 × 165.1（76 × 65）。伦敦泰特美术馆。图片来自泰特美术馆。
74.《多特或多特勒克：从鹿特丹驶出的多特定期船》，1818年。油画，157.5 × 233.7（62⅛ × 92⅛）。纽黑文耶鲁大学英国艺术中心。图片来自保罗·梅隆。
75.《粮食备足的一等舰》，1818年。水彩，28.6 × 39.7（11⅜ × 15¾）。塞西尔·希金斯画廊，贝德福德。
76.《柯比朗斯代尔墓地》，1818年。用肤色提亮并刮除画出的水彩画，29.2 × 42.2（11½ × 1⅝）。私人藏品。
77. 野草习作，1815—1817年。钢笔画，16 × 11.2（6⅜ × 4½）。伦敦泰特美术馆。图片来自泰特美术馆。
78.《莱辛巴赫瀑布上方：彩虹》，1810年。水彩、石墨画，用白色提亮并刮除，27.9 × 39.4（11 × 15½）。纽黑文耶鲁大学英国艺术中心。图片来自保罗·梅隆。
79. 北望英军在滑铁卢和拉海圣（La Haye Sainte）部署情况的图示，1817年。石墨画，15 × 9.4（6 × 3¾）。伦敦泰特美术馆。图片来自泰特美术馆。
80.《斯卡布罗南岸：骑着黑马的男子踏着潮湿沙地上的海浪》，1816—1818年。铅笔画，11.7 × 18（4⅝ × 7⅛）。伦敦泰特美术馆。图片来自泰特美术馆。
81.《修复后的朱庇特神庙》，1816年。油画，116.8 × 177.8（46 × 70）。私人藏品
82.《远处有小屋和树木的桥》，1813年。油画、粉笔画，15.9 × 26.1（6⅜ × 10⅜）。伦敦泰特美术馆。图片来自泰特美术馆。
83.《埃伦布赖特施泰因》，1817年。水彩和树胶清漆刮擦在纸上，20 × 32（7⅞ × 12⅝）。哈佛艺术博物馆/福格博物馆。爱德华·W. 福布斯所赠。图片来自哈佛大学校长和研究员。
84. 色彩速写，可能是伦敦桥附近的风景，约1820年。铅笔、印度墨水和水彩画，17.7 × 25.6（7 × 10⅛）。伦敦泰特美术馆。图片来自泰特美术馆。
85.《雷比城堡，达灵顿伯爵住处》，1817年。油画，119 × 180.6（46⅞ × 71⅛）。沃尔特斯艺术博物馆，巴尔的摩。
86.《英格兰：里奇蒙山，亲王的生日》，1819年展出。油画，180 × 334.6（70⅞ × 131¾）。伦敦泰特美术馆。图片来自泰特美术馆。
87.《从里奇蒙山远眺泰晤士河》，1825—1836年。水彩及石墨画，32 × 56（12⅝ × 22⅛）。伦敦泰特美术馆。图片来自泰特美术馆。
88.《都灵主教座堂》，1819年。石墨画，11.1 × 18.6（4⅜ × 7⅜）。伦敦泰特美术馆。图片来自泰特美术馆。
89.《从安科纳的道路远眺奥西莫，市政厅的塔楼和大教堂》，1819年。铅笔画，11 × 18.6（4⅜ × 7⅜）。伦敦泰特美术馆。图片来自泰特美术馆。
90.《君士坦丁拱门与罗马斗兽场》，1819年。水彩及石墨画，13 × 25.5（5⅛ × 10⅛）。伦敦泰特美术馆。图片来自泰特美术馆。
91.《罗马平原，萨拉里奥桥和台伯河与阿尼涅河的交汇处》，1819年。水彩画，25.4 × 40.5（10 × 16）。伦敦泰特美术馆。图片来自泰特美术馆。
92.《塞尼山的暴风雪》，1820年。水彩画，71.1 × 101.6（28 × 40）。伯明翰博物馆和美术馆。
93.《从梵蒂冈远眺罗马》，1820年展出。油画，177.2 × 335.3（67⅞ × 139⅛）。伦敦泰特美术馆。图片来自泰特美术馆。
94.《斯卡布罗》，约1825年。石墨画，15.7 × 22.5（6¼ × 8⅞）。伦敦泰特美术馆。图片来自泰特美术馆。
95.《从塔瑟姆教堂远眺霍恩比城堡，兰开夏郡》，约1818年。水彩画，29.2 × 41.9（11½ × 16½）。维多利亚与艾尔伯特博物馆。
96.《马盖特》，约1822年。水彩画，有刮除痕迹，15.6 × 23.5（6¼ × 9⅜）。纽黑文耶鲁大学英国艺术中心。图片来自保罗·梅隆。
97.《爱丁堡议会大厦的教长宴会上的乔治四世》，约1822年。油画，68.6 × 91.8（27⅛ × 36¼）。伦敦泰特美术馆。图片来自泰特美术馆。
98.《海运或林荫道，还有远处的防御工事》，1822—1823年。水彩画，25.7 × 17.8（10⅛ × 7⅛）。伦敦泰特美术馆。图片来自泰特美术馆。
99.《福伊港口入口，康沃尔郡》，约1827年。水彩水粉画，有刮除痕迹，28.6 × 39.4（111.4 × 15½）。威廉斯敦克拉克艺术学院。曼顿艺术基金会所赠，以纪念埃德温爵士和曼顿夫人，2007年。
100.《峭壁上的城堡残垣与落日》，1835—1839年。裸色画，14 × 19.1（5⅝ × 7⅝）。伦敦泰特美术馆。图片来自泰特美术馆。
101.《旅途：落日：回顾》，1826—1830年。水彩、水粉、石墨、钢笔和棕色墨水画，12.4 × 18.7（5 × 7⅜）。纽黑文耶鲁大学英国艺术中心。图片来自保罗·梅隆。
102.《贝亚湾，阿波罗与女先知》，1823年展出。油画，145.4 × 237.5（57¼ × 93⅝）。伦敦泰特美术馆。图片来自泰特美术馆。
103.《摩特雷克平台》，1827年。油画，92.1 × 122.2（36⅜ × 48⅛）。纽黑文耶鲁大学英国艺术中心。图片来自保罗·梅隆。
104.《托拉法加的海战，1805年10月21日》，1822年。油画，261.5 × 368.5（103 × 145⅛）。伦敦国家航海博物馆。
105.《东考斯城堡，迎风而上的赛船会，三号》，1827年。油画，46.4 × 72.4（18⅜ × 28⅝）。伦敦泰特美术馆。图片来自泰特美术馆。
106.《甲板间》，1827年。油画，30.5 × 48.6（12⅛ × 19¼）。伦敦泰特美术馆。图片来自泰特美术馆。
107.《东考斯城堡，约翰·纳什先生宅邸，迎风而上的赛船会》，1828年。油画，90.2 × 120.7

（35½×47½）。印第安纳波利斯艺术博物馆。尼古拉斯·诺伊斯夫妇所赠。

108.《大房子的室内场景：东考斯城堡的画室》，约1830年。油画，90.8×121.9（35¾×48）。伦敦泰特美术馆。图片来自泰特美术馆。

109.《音乐聚会，东考斯城堡》，1835年。油画，121.3×90.5（47⅞×35¾）。伦敦泰特美术馆。图片来自泰特美术馆。

110.《薄伽丘讲述鸟笼的故事》，1828年展出。油画，121.9×89.9（48×35½）。伦敦泰特美术馆。图片来自泰特美术馆。

111.《伦勃朗的女儿》，1827年。油画，121.9×89.5（48×35¼）。哈佛艺术博物馆/福格博物馆。爱德华·W.福布斯所赠。图片来自哈佛大学校长和研究员。

112.《奥尔维耶托风光》，1828年，1830年再创作。油画，91.4×123.2（36×48⅝）。伦敦泰特美术馆。图片来自泰特美术馆。

113.《尤利西斯嘲弄波吕斐摩斯》，1829年。油画，132.5×203（52¼×80）。伦敦国家美术馆。

114.《尤利西斯嘲弄波吕斐摩斯》的草稿，1827—1828年。油画，60×89.2（23⅝×35⅛）。伦敦泰特美术馆。图片来自泰特美术馆。

115.《北湾的北画廊：欧文的罗宾森夫人肖像挂在弗拉克斯曼的<圣迈克尔战胜撒旦>的左边》，1827年。水彩水粉画，13.8×18.9（5½×7½）。伦敦泰特美术馆。图片来自泰特美术馆。

116.《佩特沃斯公园：远处是蒂林顿教堂》，1828年。油画，60×145.7（23⅝×57⅜）。伦敦泰特美术馆。图片来自泰特美术馆。

117.《奇切斯特运河》，1828年。油画，65.4×134.6（25¾×53）。伦敦泰特美术馆。图片来自泰特美术馆。

118.《杰西卡》，1830年展出。油画，122×91.5（48⅛×36⅛）。伦敦泰特美术馆。图片来自泰特美术馆。

119.《穿着范·戴克衣装的女士》，1830—1835年。油画，121.3×91.1（47⅞×35⅞）。伦敦泰特美术馆。图片来自泰特美术馆。

120.约翰·霍普纳《沉睡的仙女与丘比特》，1806年。油画，132×167.6（52×66）。西苏塞克斯，佩特沃斯庄园。图片来自西苏塞克斯佩特沃斯庄园/国家信托摄影图书馆/德里克·E.威蒂/布里奇曼图像。

121.《斜倚着的维纳斯》，1828年。油画，175.3×248.9（69⅛×98）。伦敦泰特美术馆。图片来自泰特美术馆。

122.《根据华托的技法在弗雷努瓦绘制的习作》，1831年展出。油画，40×69.2（15¾×27¼）。伦敦泰特美术馆。图片来自泰特美术馆。

123.《诺勒姆城堡日出》，约1845年。油画，90.8×121.8（35¾×48）。伦敦泰特美术馆。图片来自泰特美术馆。

124.《救生艇和搁浅的船》，约1831年。油画，91.4×122（36×48⅛）。维多利亚及艾尔伯特博物馆。

125.《黄昏的星星》，约1830年。油画，91.1×122.6（35⅞×48⅜）。伦敦国家美术馆。

126.《巨石阵》，选自"英格兰和威尔士的旖旎风光"，1829年。雕刻。伦敦大英图书馆。

127.《海上风暴》，1819—1831年。水彩画，18.2×28.8（7¼×11⅜）。明尼阿波利斯艺术学院。泰德和罗伯塔·曼恩博士基金会捐赠基金，德里斯科尔艺术会捐赠基金，理查德·路易斯·希尔斯托姆基金，以及来自尼温·麦克米伦、吉吉·斯泰纳和汤姆·瑞希的捐赠基金。

128.《卡特梅尔沙地，坎布里亚郡》，1825—1830年。水粉、石墨、水彩画，30.6×49.1（12⅛×19⅜）。伦敦泰特美术馆。图片来自泰特美术馆。

129."色彩的开端"：《牛津高街》，1825—1839年。水彩画，30.5×48.5（12⅛×19⅛）。伦敦泰特美术馆。图片来自泰特美术馆。

130.《天空与海》，1826—1829年。水彩及石墨画，22.4×31.3（8⅞×12⅜）。克拉克艺术学院，威廉敦·曼顿艺术基金会的礼物，以纪念埃德温爵士和曼顿夫人，2007年。

131.《内米湖》，1827—1828年。油画，60.3×99.7（23¾×39⅜）。伦敦泰特美术馆。图片来自泰特美术馆。

132.《从阿文丁山远眺罗马》，1836年展出。油画，92.7×125.7（36½×49½）。私人藏品。

133.《布雷斯特港：码头区和酒庄》，1826—1828年。油画，172.7×223.5（68×88）。伦敦泰特美术馆。图片来自泰特美术馆。

134.《斯塔法岛的芬格尔岩洞》，1831—1832年。油画，90.8×121.3（35¾×47⅞）。纽黑文耶鲁大学英国艺术中心。图片来自保罗·梅隆。

135.《哥伦布的愿景》，1830—1832年。水彩及石墨画，23.2×31（9¼×12¼）。伦敦泰特美术馆。图片来自泰特美术馆。

136.《暴风雨 —— 哥伦布的航程》，1834年。纸上线雕，8.8×7.8（3½×3⅛）。伦敦泰特美术馆。图片来自泰特美术馆。

137.《一幢别墅（马达马别墅——月光）》，1826—1827年。《霍恩林登》，1835。石墨、钢笔、水彩画，24.1×29.7（9½×11¾）。伦敦泰特美术馆。图片来自泰特美术馆。

138.《霍恩林登》，约1835年。在铅笔基础上创作的水彩画，13.50×10（5⅜×4）苏格兰国家美术馆，爱丁堡。1988年以遗产税的形式被英国政府接受并分配给苏格兰国家美术馆。

139.《威尼斯运河》，约1835年。油画，91.4×122.2（36×48⅛）。纽约大都会艺术博物馆。1899年科尼利厄斯·范德比尔特的遗赠。

140.《威尼斯：海关和圣乔治教堂》，1834年。油画，91.5×122.（36⅛×48⅛）。华盛顿特区国家美术馆，威德恩藏品。

141.《金色树枝》，1834年展出，油画，104.1×163.8（41×64½）。伦敦泰特美术馆。图片来自泰特美术馆。

142.《上议院和下议院的火灾，1834年10月16日》，1835。油画，123.5×153.5（48⅝×60½）。克拉克艺术学院，威廉斯敦。约翰·L.塞弗伦斯1942年的遗赠。

143.《上议院和下议院的火灾，1834年10月16日》，1834—1835年。油画，92.1×123.2（36¼×48½）。费城艺术博物馆。约翰·霍华德·麦克法登藏品，1928年。

144. 油画《有人物的桥景》，约1839年。水粉、铅笔、钢笔、水彩画，22.4×28.6（8⅞×11⅜）。伦敦泰特美术馆。图片来自泰特美术馆。

145.《朱丽叶和她的乳母》，1836年。油画，88×121（34¾×47¾）。阿玛莉亚·拉克鲁兹·福塔巴特艺术收藏馆。

146.《奥斯塔山谷的暴风雪、雪崩和雷电》，1836—1837年。油画，92.2×123（36¼×48）。芝加哥艺术学院。弗雷德里克·T. 哈斯凯尔藏品。

147.《现代意大利：路演音乐家》，1838年。油画，92.6×123.2（36½×48⅝）。艺术画廊和博物馆，开尔文格鲁夫，格拉斯哥。

148.《海洛和利安德的离别》，1837年之前。油画，146×236（57½×93）。伦敦国家美术馆。图片来自国家美术馆/弗洛伦斯·斯卡拉。

149.《海洛和利安德的离别》草稿，1799—1805年。粉笔画，27.1×43.6（10¾×17¼）。伦敦泰特美术馆。图片来自泰特美术馆。

150.《芙丽涅以维纳斯的身份前往公共澡堂：德摩斯梯尼遭到埃斯基涅斯奚落》，1838年。油画，193×165.1（76×65）。伦敦泰特美术馆。图片来自泰特美术馆。

151.《被拖去解体的战舰无畏号，1838年》，1839年。油画，90.7×121.6（35¾×47⅞）。伦敦国家美术馆。

152.《警告汽轮浅滩的讯号》，1840年。油画，92.1×122.2（36⅜×48⅛）。克拉克艺术中心，威廉姆斯。1932年被斯特林和弗朗辛·克拉克收购。

153.《从朱代卡远眺威尼斯》，1840年。油画，61×91.4（24⅛×36）。维多利亚与艾尔伯特博物馆。

154.《贩奴船（黑奴贩子把死奴与病奴抛入大海——暴风来袭）》，1840年。油画，90.8×122.6（36⅜×48⅜）。波士顿美术博物馆。亨利·莉莉·皮尔斯基金。

155.《月光下的煤港》，1835年。油画，92.3×122.8。华盛顿特区国家美术馆，威得恩藏品。

156.《沉船——诺森伯兰郡海岸，一艘蒸汽船协助另一艘船离岸》，1833—1834年。油画，90.5×120.8（35¾×47⅝）。纽黑文耶鲁大学英国艺术中心。图片来自保罗·梅隆。

157.《瓦尔哈拉神殿的开放，1842年》，1843年展出。油画，112.7×200.7（44⅜×79⅛）。伦敦泰特美术馆。图片来自泰特美术馆。

158.《安息—海葬》，1842年展出。油画，87×86.7（34⅜×34¼）。伦敦泰特美术馆。图片来自泰特美术馆。

159.《战争：流亡者和石贝》，1842年。油画，79.4×79.4（31⅜×31⅜）。伦敦泰特美术馆。图片来自泰特美术馆。

160.《暴风雪——汽船驶离港口》，1842年。油画，91.4×121.9（36×48）。伦敦泰特美术馆。图片来自泰特美术馆。

161.《红色里吉山》，1842年。水彩画，30.5×45.8（12⅛×18⅛）。墨尔本维多利亚国家美术馆。1947年费尔顿遗产。图片来自墨尔本维多利亚国家美术馆/布里奇曼图像。

162.《阴霾与黑暗——洪水灭世之夜》，1843年展出。油画，78.7×78.1（31×30¾）。伦敦泰特美术馆。图片来自泰特美术馆。

163.《光与色——洪水灭世后的清晨——摩西写作〈创世记〉》，1843年展出。油画，78.7×78.7（31×31）。伦敦泰特美术馆。图片来自泰特美术馆。

164. 约翰·马丁《洪水》，1834年。油画，168.3×258.4（66⅜×101¾）。纽黑文耶鲁大学英国艺术中心。图片来自保罗·梅隆。

165.《奥斯坦德》，1844年。油画，91.6×122（36⅛×48⅛）。慕尼黑新绘画陈列馆。

166.《摩泽尔桥，科布伦茨》，约1842年。水彩及石墨画，48.6×61.6（19⅛×24¼）。纽黑文耶鲁大学英国艺术中心。图片来自保罗·梅隆。

167.《风暴中的人》，1835—1845年。水彩画，35.4×50.7（14×20）。伦敦泰特美术馆。图片来自泰特美术馆。

168.《雨、蒸汽和速度——西部大铁路》，1844年。油画，91×121.8（35⅞×48）。伦敦国家美术馆。

169.《楚格湖》，1843年。基于石墨画的水彩画，29.8×46.6（11¾×18⅜）。纽约大都会艺术博物馆，1959年马昆德基金。

170.《欧洲联合教堂的内部》，1845年。石墨及水彩画，32.7×23.1（12⅞×9⅛）。伦敦泰特美术馆。图片来自泰特美术馆。

171.《温蒂妮将戒指给那不勒斯渔民马萨尼洛》，1846年展出。油画，79.1×79.1（31¼×31¼）。伦敦泰特美术馆。图片来自泰特美术馆。

172.《捕鲸船》，约1845年。油画，91.8×122.6（36⅛×48¼）。纽约大都会艺术博物馆。凯瑟琳·罗瑞拉德·沃尔夫藏品，沃尔夫基金，1896年。

173.《站在阳光中的天使》，1846年展出。油画，78.7×78.7（31×31）。伦敦泰特美术馆。图片来自泰特美术馆。

174.《白马上的死神》，1833—1834年。油画，59.7×75.6（23⅝×29⅞）。伦敦泰特美术馆。图片来自泰特美术馆。

175.《身经百战的英雄》，1800—1810年，1847年重新创作并展出。油画，90.8×121.3（35¾×47⅞）。伦敦泰特美术馆。图片来自泰特美术馆。

176.《拜访墓地》，1850年展出。油画，91.4×121.9（36×48）。伦敦泰特美术馆。图片来自泰特美术馆。

# 索引

**有史以来最具影响力的艺术系列丛书。**

——《Apollo 国际艺术杂志》

**杰出的艺术著作，极具权威性，图文并茂。**

——《星期日泰晤士报》

"**泰晤士哈德逊世界艺术巡礼**"系列丛书覆盖面广，适合不同年龄段的阅读群体。该系列丛书探索了所有艺术领域代代流传的作品，还有最新的艺术动向，内容涵盖了几个世纪以来全球视觉文化范围内的所有主题、艺术家和艺术运动。

本系列的中文版即将推出以下精彩图书：

作者：[英]贝琳达·汤姆森
译者：陈梦璐
书号：978-7-5680-7882-5
定价：128.00 元
尺寸：140mm×206mm
页数：224 页
装帧：精装
出版时间：2022 年 3 月

作者：[英]詹姆斯·H. 鲁宾
译者：任艳
书号：暂无
定价：128.00 元
尺寸：140mm×206mm
页数：224 页
装帧：精装
出版时间：2022 年 4 月

作者：[英]托马斯·卡彭特
译者：吕文锦
书号：暂无
定价：暂无
尺寸：140mm×206mm
页数：310 页
装帧：精装
出版时间：2022 年 6 月

作者：[英]安娜·莫辛斯卡
译者：廖舒婷
书号：暂无
定价：暂无
尺寸：140mm×206mm
页数：272 页
装帧：精装
出版时间：2023 年

作者：[英]苏珊娜·哈德孙
译者：丁林棚等
书号：暂无
定价：暂无
尺寸：140mm×206mm
页数：320 页
装帧：精装
出版时间：2023 年

World of Art